L'Indépendance financière grâce à l'immobilier

Catalogage avant publication de Bibliothèque et Archives nationales du Québec et Bibliothèque et Archives Canada

Lépine, Jacques, 1948-

L'indépendance financière grâce à l'immobilier : une méthode simple et efficace accessible à tous

(Collection Réussite financière)

Comprend des réf. bibliogr.

ISBN 978-2-89225-652-9

1. Immeubles - Investissements. 2. Succès dans les affaires. I. Titre. II. Collection.
HD1382.5.L46 2007 332.63'24 C2007-941780-9

Adresse municipale :
Les éditions Un monde différent
3905, rue Isabelle, bureau 101
Brossard, (Québec), Canada
J4Y 2R2
Tél. : 450 656-2660
Téléc. : 450 659-9328
Site Internet : http://www.unmondedifferent.com
Courriel : info@umd.ca

Adresse postale :
Les éditions Un monde différent
C.P. 51546
Succ. Galeries Taschereau
Greenfield Park (Québec)
J4V 3N8

Dépôts légaux : 4e trimestre 2007
Bibliothèque nationale du Québec
Bibliothèque nationale du Canada
Bibliothèque nationale de France

Conception graphique de la couverture :
OLIVIER LASSER

Photocomposition et mise en pages :
ANDRÉA JOSEPH [PageXpress]

Typographie : Minion 12 sur 14 pts

ISBN 978-2-89225-652-9

Nous reconnaissons l'aide financière du gouvernement du Canada par l'entremise du Programme d'aide au développement de l'industrie de l'édition pour nos activités d'édition (PADIÉ).

Gouvernement du Québec – Programme de crédit d'impôt pour l'édition de livres – Gestion SODEC.

Gouvernement du Québec – Programme d'aide à l'édition de la SODEC.

Imprimé au Canada

Jacques Lépine

L'Indépendance financière grâce à l'immobilier

Une méthode simple et efficace accessible à tous

UN MONDE DIFFÉRENT

Note : Après discussion avec l'auteur, et étant donné qu'il véhicule son propre vocabulaire de l'immobilier depuis des années, nous avons convenu de laisser les termes qu'il emploie couramment dans le « jargon du métier ». Vous les retrouverez donc entre guillemets la première fois qu'ils apparaissent dans le texte, avec un appel de note de bas de page.

TABLE DES MATIÈRES

REMERCIEMENTS

Je tiens à remercier les personnes suivantes sans qui l'écriture de ce livre n'aurait pu être possible :

À ma conjointe de vie, Me Ginette Méroz, pour son amour, sa patience, sa compréhension, son inspiration, son goût d'aller toujours plus loin et de se dépasser, pour sa passion, son exigence envers elle-même et envers ceux qui l'entourent.

À mes filles, Isabelle et Emmanuelle, pour le besoin que je ressens de leur démontrer toutes les possibilités de la vie et de l'amour inconditionnel que j'éprouve à leur égard.

À mon grand ami, Ray Vincent, pour son courage indestructible, son positivisme sans limites et sa capacité de me transmettre cette façon de me fixer de grands objectifs qui semblent irréalisables aux yeux de bien des gens, mais qui me permettent d'accomplir beaucoup plus que je ne l'aurais cru.

À mon adjoint et directeur général du Club d'investisseurs immobiliers du Québec (www.clubimmobilier.qc.ca), Patrick Gaulin, sans qui l'existence de ce club serait impossible, pour son oreille attentive, son dévouement, sa patience, son goût d'apprendre et son enthousiasme à propos de tout ce que je lui apprends.

À Yvan Cournoyer, codirecteur général du Club d'investisseurs immobiliers du Québec, pour son dévouement, son travail, sa patience et son implication.

Merci aux quelque 5000 personnes qui, entre 2001 et 2007, m'ont fait confiance en assistant à mes séminaires de formation sur l'investissement immobilier et qui, à chaque présentation, me motivent et me donnent un sentiment de satisfaction indescriptible.

PRÉFACE

La première fois que j'ai rencontré Jacques Lépine, j'ai tout de suite été séduit. Il y a en lui tant de simplicité, de générosité et d'intelligence qu'on ne peut faire autrement que de l'aimer et de l'adopter.

Ceux qui liront son livre – et ils seront des milliers, je le sais – y retrouveront toutes ces qualités et bien d'autres.

En plus, Jacques possède un talent « immobilier » hors du commun, car il faut plus que de la chance pour se construire un parc de 0 à 12 000 000 $ en quelques années.

C'est aussi cet aspect qui me plaît énormément dans son livre. Ce n'est pas l'ouvrage d'un simple théoricien, comme on en trouve tant: c'est le livre de quelqu'un qui « est déjà passé par là », comme on dit, qui a fait ses preuves et qui par conséquent sait de quoi il parle.

Non seulement il sait de quoi il parle, mais il sait comment l'enseigner, et il sait surtout communiquer son enthousiasme extraordinaire pour l'immobilier.

En fait, l'expérience de l'auteur sera utile non seulement au néophyte, mais aussi à celui qui a déjà de l'expérience et qui veut peaufiner ses méthodes, connaître toutes les astuces d'un vieux pro, non seulement pour dénicher la perle rare dans un marché supposément difficile, mais savoir comment l'acheter sans sortir un sou de sa poche et parfois même en ressortant de chez le notaire avec un chèque juteux… même s'ils viennent d'acheter une propriété !

À la vérité, une seule astuce du livre de Jacques – et il y en a des dizaines et des dizaines ! – peut vous faire gagner des centaines de milliers de dollars.

Si vous voulez démarrer sans un sou ; si vous voulez « refinancer » astucieusement les propriétés que vous avez déjà ; si vous voulez savoir comment « dealer » avec vos locataires à problèmes ; si vous voulez savoir si vous devez ou non acheter tel ou tel immeuble ; si vous voulez savoir comment « bâtir » votre dossier de crédit (même si votre crédit est mauvais) ; si vous voulez savoir comment payer le moins d'impôt possible tout en restant dans la plus parfaite légalité, le livre de Jacques Lépine est un « must ».

D'autant plus que, contrairement à bien des ouvrages qui sont des traductions de livres américains où la fiscalité, le marché et les lois sont différents, le livre de Jacques est « made in Quebec ».

C'est un gros atout parce que même si les grands principes immobiliers sont universels, il faut savoir comment les appliquer à son propre marché, sinon on risque des erreurs parfois catastrophiques. Par exemple, l'auteur immobilier de la Floride ne saura pas vous conseiller pour savoir comment vous devez payer pour un immeuble qui est chauffé par le propriétaire, comparativement à un immeuble qui est chauffé par le locataire.

Mais le livre de Jacques fait encore plus que vous révéler toutes les astuces et les techniques d'enrichissement immobilier rapide au Québec, il communique au lecteur un état d'esprit, une mentalité. Je l'appellerais la mentalité du millionnaire – ou du millionnaire paresseux[1] *! – celle-là même que j'ai essayé de décrire et de promouvoir dans le livre du même nom et dans ma série du Millionnaire.*

À une époque où l'État-providence est de plus en plus épuisé, à bout de souffle et de sous, je crois que cette mentalité de millionnaire est de plus en plus utile, nécessaire même, pour le contribuable qui veut tirer son épingle du jeu et sortir de cette foire d'empoigne que le marché du travail est devenu.

Si vous en avez assez d'en « arracher », de vivre d'un chèque de paie à l'autre, si vous voulez vous débarrasser de vos dettes, et atteindre l'indépendance financière à un âge où vous pourrez encore en profiter, lisez le livre de Jacques Lépine, L'Indépendance financière grâce à l'immobilier, *et faites le lire à tous ceux dont l'avenir financier vous tient à cœur : vos enfants, vos parents, vos clients, vos amis…*

Vous serez bientôt entouré de gens plus riches qui pourront commencer à vivre la vie dont ils ont toujours rêvé !

MARC FISHER

---

1. Marc Fisher, *Le Millionnaire paresseux, suivi de l'art d'être toujours en vacances…*, éditions Un monde différent, Brossard, 2006, 240 pages.

INTRODUCTION

En 1969, quand mon inscription comme étudiant a été acceptée à l'université d'Ottawa, je me souviens très bien des difficultés que j'ai éprouvées à dénicher un logement. Tout était loué. Chaque responsable des locations d'appartement à qui j'adressais ma requête me donnait invariablement la même réponse: « Je suis désolé, monsieur, mais tout est loué». Durant des jours et des jours, j'ai cherché un endroit où vivre mais en vain jusqu'à ce qu'un après-midi, au bord du désespoir ou presque, je rencontre un autre Québécois, originaire de Cowansville, qui venait d'en trouver un et qui cherchait un colocataire.

Entrepreneur dans l'âme comme je l'étais – je le suis toujours d'ailleurs –, cette situation a non seulement éveillé ma curiosité, mais elle a déclenché une série de questions pour lesquelles je souhaitais obtenir des réponses. C'est alors que mon intérêt pour l'immobilier s'est mis à se développer en moi et à grandir sans cesse depuis.

Imaginez, je me retrouvais devant des dizaines et des dizaines d'édifices à logement loués à 100 %, et ce, à plusieurs kilomètres à la ronde. Quels beaux investissements ces gens-là avaient entre les mains ! Je n'avais nul besoin de calculer bien longtemps pour comprendre que ces propriétaires faisaient des affaires d'or.

Tout au long de mes 4 années d'université, j'ai demeuré tout près du campus. Chaque jour, j'avais ces immeubles sous les yeux et les mêmes réflexions me revenaient à l'esprit. Comment les gens font-ils pour pouvoir acheter ces édifices ? À l'époque, entre 1969 et 1973, ils valaient déjà plusieurs millions de dollars. Comment pourrais-je réussir à en acquérir ? Où prendrais-je l'argent nécessaire pour en acheter et où les acheter ? Par quoi et par où commencer ? Qui pourrait m'aider ? Où prendre l'information et les connaissances indispensables pour y parvenir ?

Natif de L'Ancienne-Lorette, une banlieue de Québec, et issu d'une famille de classe ouvrière pleine d'amour mais sans argent, pour qui la seule façon d'en obtenir davantage était de travailler plus ; j'étais donc moi-même sans le sou. Mes parents n'avaient pas la moindre notion d'épargne ni d'investissement, il leur était donc impossible de transmettre ces notions à leurs enfants.

Ce n'est que plus tard, au cours de ma vie, que j'ai acquis ces précieuses notions grâce à mes lectures et motivé par une bonne dose d'ambition et de passion. Dès lors, j'ai appris et compris les notions de base de l'investissement immobilier qui sont :

- faire travailler l'argent des autres pour soi ;
- la capitalisation (remboursement du capital d'un prêt) ;
- l'augmentation de la valeur (plus-value) ;
- les profits d'exploitation (cash-flow).

Quatre années plus tard, avec mon diplôme universitaire en main et cet intérêt grandissant pour l'immobilier, je me croyais bien outillé, mais la vie allait bousculer mes plans. En fait, je me suis marié alors que j'étais encore étudiant, si bien que ma première enfant est née à la toute fin de mes études. Comme la plupart des gens le font, j'ai donc dû me contraindre à gagner ma vie et je me suis laissé prendre dans l'engrenage du travail pour pouvoir mettre du pain et du beurre sur la table. J'étais trop occupé à gagner ma croûte pour prendre le temps de faire de l'argent et de m'enrichir.

J'ai vagué çà et là, d'un emploi à l'autre, à tenter de mettre sur pied une entreprise de placement de personnel. Puis enfin, après une année comme stagiaire dans différents bureaux de comptables agréés, j'ai pu démarrer mon propre bureau de tenue des livres. J'avais un certain succès, sans plus. J'arrivais quand même à avoir une vie supérieure à la moyenne, mais j'étais cependant à mille lieues de mon désir d'enrichissement et de mes objectifs plus ambitieux.

Bien sûr, mes rêves d'investissements immobiliers étaient toujours aussi présents, mais à ce chapitre je dois dire que j'en étais au même point qu'à la fin de mes études, ou du moins je n'avais guère progressé. Il fallait absolument que je fasse quelque chose, mais quoi ? Je n'avais aucune idée pour sortir de cette impasse et je devais en plus composer avec des responsabilités familiales bien réelles : deux beaux enfants et tout ce qu'il faut faire pour assurer la subsistance de notre famille. Fort heureusement, mon épouse travaillait elle aussi, ce qui aidait à arrondir les fins de mois.

Je lisais tout ce que le marché comportait de revues financières et tout particulièrement la revue *Finance*. Puis un jour de 1980, une annonce publicitaire, couvrant une page entière de cette revue, attira mon attention. Le titre se lisait comme suit :

COMMENT ÉVEILLER LE GÉNIE FINANCIER QUI DORT EN VOUS ?

Étant donné que mon intérêt pour l'immobilier était toujours aussi vif, je m'empressai de le lire en me disant : « *Peut-être que je possède le génie dont il parle.* » Cet auteur venait de me captiver totalement. Dès le premier paragraphe de l'annonce, j'étais presque en état de choc. Je me permets de vous en écrire ici les premières lignes :

> « Saviez-vous que les millionnaires ne travaillent pas 10 fois, 5 fois ni même 2 fois plus que vous ? Si l'on se fie au fait qu'une semaine normale de travail est d'environ 40 heures, ils ne peuvent pas en travailler 400 ni même 200 heures, car il n'y a que 168 heures dans une semaine. Sur ces 168 heures, nous dormons en moyenne 56 heures, voyageons 6 heures pour se rendre au travail, 15 heures par semaine pour se nourrir, ce qui nous laisse 91 heures pour nos loisirs et le TRAVAIL.
>
> « La seule chose que les millionnaires ont de plus que la moyenne des gens, c'est qu'ils savent comment faire. »

Ces simples mots venaient de m'injecter dans les veines une décharge d'adrénaline qui continue à me stimuler encore aujourd'hui.

Puis, après cette entrée en matière qui m'a marqué, l'auteur mentionnait qu'il venait d'écrire un livre sur l'investissement immobilier dans lequel il faisait part de ses expériences de vie, afin de convaincre les lecteurs d'acheter son livre. Pour inspirer confiance aux acheteurs potentiels, l'auteur leur offrait de lui envoyer un chèque de 100 $ US, postdaté de 30 jours, en précisant que si le livre ne leur plaisait pas, ils n'avaient qu'à lui retourner leur exemplaire. Il garantissait de réexpédier alors leur chèque sans l'avoir encaissé.

J'ai émis un chèque au montant indiqué et nul besoin de vous dire que ce livre a complètement changé ma vie, à tout jamais. Je venais enfin de trouver une base de référence sur l'investissement immobilier. De plus, l'auteur en question et son organisation offraient de la formation sur l'investissement immobilier par le biais de congrès d'investisseurs immobiliers à divers endroits aux États-Unis, entre autres à Orlando, en Floride.

Je suis devenu un participant très assidu de ce congrès auquel j'assistais chaque année, car il me permettait de côtoyer des gens qui éprouvaient la même passion que moi et qui étaient tout aussi désireux de faire fortune dans l'investissement immobilier.

MES CONNAISSANCES ET MES EXPÉRIENCES

Au cours des 25 dernières années, toutes les expériences que j'ai vécues, les formations que j'ai suivies, de même que celles que je donne moi-même aujourd'hui, m'ont apporté une connaissance exceptionnelle du domaine de l'immobilier et de son marché. Parmi elles, trois composantes ont principalement contribué à enrichir mon expérience :

1. Premièrement, au fil des ans, j'ai acheté et vendu plusieurs immeubles, allant de simples maisons unifamiliales jusqu'aux logements multiples, et je suis encore très actif, aussi bien sur le marché canadien que sur le marché américain.
2. Mon expérience en tant que comptable et analyste financier m'a aidé dans la compréhension des évaluations de rentabilité de tout genre de commerce et d'immeuble. À longueur d'année, j'avais à préparer des analyses de mouvement de trésorerie, ce qui a contribué à mon aisance dans ce type de travail et lors de mes investissements.
3. Enfin, mon expérience comme agent d'immeubles et spécialiste en financement immobilier m'a permis de me mettre constamment à jour quant à l'évolution du marché de l'immobilier.

En 2001, 21 ans plus tard, j'ai constaté avec stupéfaction qu'il n'existait toujours que très peu de possibilités de formation en investissement immobilier, ici au Québec. Il y avait bien certaines chambres immobilières, dont le but est de former des agents d'immeubles, et quelques universités qui proposaient des baccalauréats couvrant le secteur de l'immobilier, mais pour le commun des mortels, aucune formation de courte durée n'était offerte (par exemple, des séminaires d'une journée montrant aux gens comment investir dans l'immobilier, les trucs et astuces des investisseurs, entre autres).

Il fallait que ça change ! C'est pourquoi j'ai immédiatement tout mis en œuvre pour préparer des séminaires afin que ceux qui manifestent de l'intérêt pour l'immobilier puissent apprendre comment dénicher des immeubles à bon potentiel de vente, comment les évaluer, les financer, les gérer et enfin comment les vendre.

Toutefois, un fait demeure encore plus étonnant, il n'est pas possible de trouver sur le marché, que je sache, un seul ouvrage de référence rédigé par un auteur québécois qui vit de l'investissement immobilier et qui peut vraiment parler des réalités du secteur de l'immobilier québécois, à la fois dans ses contextes culturel, financier, démographique et cyclique.

Dans cette optique, j'ai décidé d'écrire ce livre sans aucune prétention. Grâce à mes expériences, mon vécu et mes connaissances, il saura, je l'espère, guider, assister et encourager ceux qui veulent débuter comme investisseurs immobiliers ou qui ont déjà fait un premier pas en ce sens. Vous y découvrirez d'ailleurs ma méthode d'investissement immobilier. J'estime qu'elle est on ne peut plus sécuritaire sur le plan de l'efficacité, car son principe est basé sur l'exploitation de n'importe quelle entreprise et se résume comme suit :

Dans l'investissement immobilier comme dans tout autre commerce,
LE PROFIT SE FAIT À L'ACHAT.

Comme vous le constaterez au fil de ces pages, l'investissement immobilier est une passion pour moi. Ainsi, par cet humble ouvrage, je souhaite non seulement être en mesure de vous la transmettre, mais de vous donner également le petit coup de pouce nécessaire pour créer un projet d'investissement ou vous lancer en affaires et atteindre le succès escompté.

Voilà terminée mon entrée en matière, je vous propose maintenant d'approfondir le sujet principal de ce livre.

Bonne lecture !

Jacques Lépine
Coach et mentor en immobilier

1

NOUS PARLONS D'IMMEUBLES, ALORS PARLONS DE FONDATIONS

Nous lisons régulièrement des articles de revues et de journaux qui nous informent des disparités de revenus considérables entre les gens à l'échelle du pays. Ces articles stipulent que moins de 1 % de la population active gagne 1 million de dollars ou plus par année. Je suis chaque fois surpris d'observer le contraste énorme de ce dernier niveau de revenu avec d'autres statistiques gouvernementales indiquant que 16 % de la population vit sous le seuil de la pauvreté.

Vous êtes-vous déjà demandé pourquoi seulement 1 % des gens réussissent à gagner un million de dollars ou plus par année, alors que 16 % d'entre eux vivent sous le seuil de la pauvreté ? Bien entendu, personne n'est automatiquement destiné au succès à sa naissance (quoique cette affirmation puisse être discutable), et ce n'est guère non plus une question d'hérédité ou le fait d'être élevé et éduqué dans un environnement où l'on est à l'aise sur le plan financier.

En effet, le succès n'est pas réservé à des membres d'un club privé qui sont nés riches, intelligents et séduisants. On rapporte des milliers d'exemples qui confirment que le succès est à la portée de tous ceux qui ont le désir et la persévérance de l'atteindre. Voici quelques points que les gens qui connaissent le succès ont en commun et qui expliquent les différences entre ceux qui l'atteignent ou non :

- le désir ;
- la détermination ;
- l'engagement ;
- la discipline ;
- l'éducation ;
- l'expérience ;
- le courage ;
- la persévérance ;
- l'optimisme ;
- l'organisation.

QUEL EST L'INGRÉDIENT QUI VOUS MANQUE ?

En vérité, vous êtes peut-être doté de toutes les attitudes énumérées ci-dessus ou vous n'en possédez que quelques-unes, mais vous faites malgré tout partie du 16 % qui a peine à joindre les deux bouts. La raison en est bien simple, c'est qu'il vous manque un ingrédient, mais pas le moindre : **UN PLAN**.

Eh oui, vous devez établir un plan mûrement réfléchi, logique et raisonnable pour partir d'où vous êtes maintenant afin de parvenir au but que vous voulez atteindre. Ce livre vous aidera à élaborer un tel plan. De plus, la variété et la quantité d'informations contenues que vous y trouverez vous assurent que ce plan sera conçu à votre mesure, en fonction de votre situation financière personnelle, selon vos talents et vos capacités aujourd'hui, dans votre ville, et ce, fondé sur l'économie actuelle.

ALORS, QUEL EST LE PROBLÈME ?

En fait, même si une partie de la population gagne un revenu qui la classe dans une catégorie sociale considérée comme pauvre, un pourcentage encore plus grand vit d'une paye à l'autre. Ces derniers doivent absolument recevoir leur salaire au moment prévu sinon ils devront emprunter de l'argent. Très peu d'entre eux peuvent suivre le conseil judicieux des planificateurs financiers qui recommandent d'avoir suffisamment d'argent en réserve pour pouvoir subsister pendant une période de trois mois.

Étant donné que leurs salaires suffisent à peine à couvrir leurs dépenses, rares sont ceux qui peuvent se permettre de contribuer, ne serait-ce qu'un petit montant à un REER. Par conséquent, tous ces facteurs additionnés concourent à augmenter leurs sentiments de frustration. À votre avis, en prenant connaissance de ces divers éléments, qu'est-ce qui peut retenir ces gens d'atteindre un certain succès ?

D'ores et déjà, je crois que nous pouvons déterminer quelques caractéristiques précises :

- la peur de l'inconnu ;
- la peur du succès ;
- la procrastination ;
- le manque de contrôle ;
- le désespoir ;
- le manque d'éducation ;
- le scepticisme ;
- le manque d'estime de soi ;
- aucun plan de vie ou de carrière ;
- etc.

En règle générale, les gens sont persuadés que la réussite est le fait du hasard et que ce n'est pas pour eux. Je vais essayer de vous convaincre que ce n'est pas une question de hasard, que c'est possible de réussir, et je suppose que vous y croyez sans quoi vous ne seriez pas en train de lire ce livre.

APRÈS AVOIR LU CE LIVRE, DEUX CHOIX S'OFFRIRONT À VOUS :

VOUS POUVEZ DEVENIR INVESTISSEUR IMMOBILIER
OU
VOUS POUVEZ TOUT BONNEMENT
ACHETER UNE MAISON

En effet, pour plusieurs d'entre vous, ce livre peut être un moyen parmi d'autres d'atteindre un objectif très simple : c'est-à-dire d'acheter une maison avec l'intention d'y vivre. Si tel est votre but, ce sera possible pour vous d'acheter votre maison dans les jours suivant la lecture de *L'Indépendance financière grâce à l'immobilier*, et surtout d'économiser des milliers de dollars lors de l'achat.

Cependant, si vous voulez vous lancer dans une carrière d'investisseur immobilier afin d'atteindre l'indépendance financière (et ne plus dépendre d'un emploi), alors ce livre est un excellent début. Vous y découvrirez toutes les informations nécessaires expliquées clairement pour développer votre commerce dans l'immobilier, de la planification jusqu'à votre premier achat. Cet ouvrage vous offre aussi l'avantage de tirer profit de mes connaissances éprouvées, de mes expériences et de celles d'autres auteurs dont je me suis inspiré pour sa rédaction.

PRENEZ UN ENGAGEMENT FERME

Ce manuel contient tout ce qu'il vous faut pour faire carrière comme investisseur immobilier. Rien ne s'interpose entre votre succès et vous, mais vous devez avant tout vous engager fermement à satisfaire à deux exigences fondamentales pour réussir :

1. **À acquérir une expérience pratique** en suivant une formation adéquate axée sur le concept du placement immobilier, qu'on appelle également l'investissement en biens immobiliers.
2. **À poursuivre votre éducation** en matière d'investissement immobilier.

Vous ferez vos premières armes en expérience pratique dans la foulée du processus de recherche et d'achat de votre premier immeuble.

Vos recherches vous aideront à obtenir rapidement de l'assurance et de la confiance en vous-même, ce qui contribuera à éliminer la majorité des peurs que vous aviez au départ.

Lorsque j'ai débuté comme investisseur immobilier, quelqu'un m'a donné un conseil très précieux concernant mon éducation immobilière : **vous ne pouvez jamais en savoir trop.** On m'a recommandé de gérer mon temps et de budgéter mon argent afin de suivre chaque année des cours et d'améliorer ma formation. Ce que j'ai toujours fait, avec pour résultat que j'ai suivi au-delà de 30 séminaires et cours sur cassettes dans ma carrière d'investisseur immobilier. Je détiens même une licence d'agent immobilier qui continue à m'être extrêmement utile. Pensez-y, cela pourrait être un objectif on ne peut plus valable et lucratif pour vous-même !

Au fur et à mesure que vous gagnerez de l'expérience, vous voudrez naturellement en savoir de plus en plus. Dans cet élan, vous assisterez à d'autres séminaires, suivrez d'autres cours, deviendrez membre d'un club d'investisseurs (le Club d'investisseurs immobiliers du Québec, entre autres), vous achèterez des cours sur vidéos ou sur DVD, vous vous procurerez des livres et des cassettes, enfin tout pour en apprendre toujours davantage sur cette nouvelle passion qui vous habitera peu à peu. Et puisque vous prévoirez un budget attitré exclusivement à votre formation, cela fera tout naturellement partie intégrante de votre carrière d'investisseur. Vous n'aurez alors qu'à choisir avec soin les séminaires auxquels vous assisterez et les livres que vous lirez.

Croyez-moi, peu importe le niveau d'expertise et d'expérience que vous aurez atteint en ce domaine, vous ne cesserez jamais d'apprendre et de croître. Vous pourriez avoir l'impression ici que je prêche pour ma paroisse, étant donné que je donne moi-même des séminaires et que j'ai constitué au fil des années du matériel très pertinent en la matière. Mais le fait est qu'il ne subsiste aucun doute dans mon esprit : plus vous assisterez à l'un ou l'autre des séminaires judicieux donnés sur le sujet par une personne compétente ou que vous vous procurerez des livres d'autres auteurs, vous constaterez que cet investissement dans votre éducation immobilière vous rapportera des milliers de fois l'argent que vous y aurez investi. Vous verrez plus tard que j'ai raison.

En plus de prévoir un certain budget pour votre formation, une gestion de votre temps est aussi très importante. Réservez-vous des périodes dans votre emploi du temps pour lire au moins un livre sur l'immobilier tous les trois mois. Ainsi, après avoir lu six à huit livres, vos connaissances, votre perspective et votre compréhension de l'immobilier seront accrues et grandement améliorées. Cette éducation additionnelle ajoutée à vos expériences pratiques d'investisseur contribueront à merveille à l'atteinte de vos objectifs financiers.

FIXEZ-VOUS DES OBJECTIFS RÉALISTES

Peu importe le degré d'éducation que vous aurez acquis, si vos objectifs sont irréalistes, cette éducation n'est ni plus ni moins du gaspillage, du temps perdu. À preuve, combien avez-vous entendu de gens dire : « J'espère gagner à la loterie ; je veux lancer une affaire ; je souhaiterais écrire un livre ; j'aimerais recevoir de l'argent en héritage » ? Lorsqu'ils parlent de cette façon, vous êtes en présence de gens qui ont des rêves irréalisables et non des buts, surtout quand ils n'agissent pas pour les réaliser.

D'ailleurs, la plupart d'entre eux consacrent plus de temps à rêver à leur succès qu'à le planifier. Bien sûr, c'est merveilleux et nécessaire de rêver, mais dites-moi combien de rêves se réalisent simplement à y penser ? Vous devez agir en conséquence pour les voir se concrétiser. Vous avez le pouvoir de faire en sorte que les choses arrivent en prenant le contrôle de votre entreprise, en ayant des objectifs réalistes, en planifiant, en organisant et en passant à l'action.

Sitôt que vous planifiez mal votre entreprise ou que vous manquez de planification, ces mauvaises habitudes s'incrustent et condamnent vos buts à l'échec. Résultat : personne ne planifie l'échec, mais l'échec arrive par manque de planification.

Que vous ayez 5 heures ou 40 heures par semaine à consacrer à l'investissement immobilier, inscrivez-les à votre horaire et organisez-vous pour qu'elles soient utilisées intelligemment et de façon créative. À ce moment-là seulement, votre temps sera investi en vue d'obtenir le plus grand rendement possible et vous accéderez enfin à VOTRE LIBERTÉ FINANCIÈRE.

Le fait d'établir vos buts et objectifs est une partie importante de votre planification. Pour ce faire, il vous suffit d'écrire des rêves réalistes sur papier. Quels sont vos rêves ? Que voulez-vous réellement obtenir de la vie ou quels objectifs souhaitez-vous atteindre ? La plupart des gens aspirent à la prospérité, ils veulent avoir beaucoup d'argent, être fortuné. Mais quels bénéfices retireriez-vous de posséder beaucoup d'argent ?

Lorsque vos rêves seront écrits, dressez alors une liste des moyens que vous devrez prendre pour les réaliser. Il faudra aussi les évaluer sous l'angle de la durée.

DES OBJECTIFS À LONG TERME

Vos objectifs à long terme sont ceux que vous prévoyez atteindre au cours des prochains cinq ans ou moins. La planification à long terme devrait couvrir tous les aspects de votre vie. En matière d'investissement immobilier, voici quelques exemples d'objectifs à long terme :

1. posséder 50 « unités de logement[2] » dans 3 ans, chacun générant un profit annuel de 1 500 $;
2. posséder un avoir net de 500 000 $ dans 5 ans ;
3. avoir une nouvelle maison avec 5 chambres, 3 salles de bain avec piscine creusée à la fin de votre deuxième année.

Que vous ayez du succès ou non dans l'atteinte de vos objectifs, ce qui vous permettrait d'abandonner votre emploi actuel et de devenir un investisseur immobilier à plein temps (si c'est votre objectif), vous aurez du moins amélioré votre situation financière de façon significative. Comme bénéfice additionnel, vous aurez acquis l'expérience nécessaire et la capacité de réévaluer, réviser, et peut-être de fixer à nouveau vos objectifs pour parvenir au succès.

DES OBJECTIFS À COURT TERME

Vos objectifs à court terme devraient être précis, accessibles et atteignables à l'intérieur des 12 prochains mois ou moins. Tout ce que vous ferez pour atteindre ces objectifs vous rapprochera de vos objectifs à long terme.

Même si ces objectifs devraient couvrir également tous les aspects de votre vie, comme vos objectifs à long terme, en voici quelques-uns qui sont reliés à l'immobilier :

---

2. Appartement : Logement comportant plusieurs pièces et qui est situé dans un immeuble d'habitation ou une maison.

1. avoir un revenu mensuel de 1 000 $ provenant de vos investissements ;
2. acheter trois propriétés à revenus[3] ;
3. avoir 10 000 $ en banque provenant de l'achat de propriétés au prix de gros et qui seraient revendues rapidement avec un profit ;
4. dans une optique encore plus à court terme, sur une base hebdomadaire ou journalière, entrer en contact avec 25 vendeurs par semaine.

Ou, que pensez-vous du fait de consacrer entre 30 et 60 minutes tous les 2 jours (du moins pour les 3 premiers mois, jusqu'à ce que les autres techniques d'identification de vendeurs commencent à rapporter des dividendes) à lire les annonces classées de votre journal local ?

Relisez vos objectifs tous les matins et tous les soirs. Cela peut vous sembler monotone et répétitif à première vue, mais vous serez surpris de l'effet motivant que cette technique aura sur votre façon de penser et d'agir, relativement à vos succès financiers. Souvenez-vous, si vous avez 4 ou 5 objectifs à réaliser, vous allez peut-être en rater quelques-uns, mais en les ayant constamment à l'esprit, vous vous dirigerez malgré tout dans la bonne direction.

VOS OBJECTIFS DEVRAIENT ÊTRE ÉCRITS ET FLEXIBLES

Le fait d'écrire vos objectifs à court et à long terme vous amènera à vous sentir plus engagé et responsable que s'ils étaient seulement verbaux. Lorsque vous dresserez la liste de vos objectifs par écrit, inscrivez-y la date et signez ce document. Votre degré d'engagement en sera accru. Pour accroître votre engagement d'un cran, partagez ces objectifs avec une personne positive en qui vous avez confiance et qui réagira de façon tout aussi positive vis-à-vis de vos ambitions.

Assurez-vous cependant que vos objectifs ne vous positionnent pas en situation de conflits. Par exemple, passer plus de temps à votre emploi actuel pourrait potentiellement créer un conflit quant à votre désir de consacrer plus de temps à l'investissement immobilier.

C'est pourquoi vos objectifs aussi devraient être flexibles. Si votre

---

3. Immeubles locatifs ou de rapport : immeubles dont la location procure des revenus à son propriétaire.

objectif est de compter sur un avoir net de 500 000 $ au cours des prochains 5 ans, et que vous constatez après quelques années que vous n'y parviendrez pas, alors ajustez cet objectif en conséquence. D'un autre côté, si vous constatez que vous allez les dépasser, ajustez-les à la hausse.

Vos objectifs doivent être mesurables. Par exemple, si votre but est de faire beaucoup d'argent ou de posséder plusieurs immeubles, ce n'est pas un objectif mesurable, dans le sens où je l'entends, car vous ne l'avez pas précisé en chiffres. Par contre, acquérir un avoir net de 500 000 $ ou acheter 30 propriétés à revenus, voilà des objectifs mesurables.

Prenez le temps de faire un bilan de vos objectifs et de visualiser comment vous aimeriez les réaliser de façon optimale (comme si vous les aviez déjà atteints), en répondant au questionnaire qui suit sur une feuille de papier.

FIXEZ VOS OBJECTIFS GRÂCE À CE QUESTIONNAIRE DE VISUALISATION

1. Où est-ce que je vis actuellement ? Décrivez la maison, la ville, les couleurs, les fleurs, la faune environnante. Décrivez les odeurs que vous humez, les sons que vous entendez.
2. Avec qui passez-vous le plus de temps ? Quel est l'état d'esprit de ces gens ? Combien de temps vous réservez-vous personnellement chaque jour ?
3. À quels loisirs ou affaires consacrez-vous le plus de votre temps quotidiennement ? Comment cela vous rend-t-il heureux ?
4. Voyagez-vous ? Si oui, où allez-vous ? Décrivez ces voyages comme vous l'avez fait au point 1.
5. Comment est votre santé ? Quel est votre poids ? À quelle fréquence faites-vous de l'exercice ?
6. Quel genre de musique écoutez-vous ? Quelles sortes de spectacles, de formes d'art ou de lectures appréciez-vous davantage ?
7. Quelles expériences vivez-vous actuellement ou que vous désireriez vivre ?

8. Qui aidez-vous et comment les aidez-vous ?
9. Combien de revenus recevez-vous chaque mois provenant de revenus passifs ?
10. Quel est votre avoir net ?

DES OBJECTIFS : DU CONSCIENT AU RÉFLEXE AUTOMATIQUE

Un geste devient une habitude quand on n'a plus à y penser pour le faire spontanément; en fait, lorsqu'il vient du subconscient. Les études démontrent qu'un geste peut se déplacer du conscient au subconscient en 18 jours approximativement, et ce, en le répétant à plusieurs reprises. Si vous prenez l'habitude de passer 30 minutes par jour à lire la section immeubles des annonces classées, après 18 jours vous inclurez cette routine journalière automatiquement dans vos tâches à effectuer. Vous n'aurez même plus à y penser.

Ceci s'applique également à vos objectifs. Si vous les passez en revue consciemment le matin et le soir, et ce, tous les jours, dans un court laps de temps, cela deviendra un réflexe automatique d'effectuer ce même stratagème quotidiennement. Rendu à ce stage, ce sera encore plus facile pour vous de concentrer toute votre attention sur la réalisation de ces objectifs.

LA PLANIFICATION

Une des fonctions importantes de vos activités d'investisseur immobilier est la planification et l'organisation de votre emploi du temps. Si ce n'est pas encore fait, procurez-vous un agenda. Utilisez-le pour planifier vos journées et inscrire vos activités journalières à votre horaire afin d'employer votre temps judicieusement. Établissez donc vos priorités quotidiennes, hebdomadaires et mensuelles. Planifiez votre emploi du temps à l'avance. Vous verrez que vous deviendrez beaucoup plus efficace très rapidement parce que vous aurez planifié vos activités avant le moment prévu pour leur exécution.

LA GESTION DU TEMPS

Nous sommes tous égaux quant au temps dont chacun dispose. Que nous l'utilisions efficacement ou non, il nous est alloué à tous 24 heures par jour, ni plus ni moins. Une des rengaines habituelles que nous entendons très fréquemment de la part des gens est celle-ci : « Je n'ai pas assez de temps. » Je leur rappelle à ce moment-là qu'ils n'ont besoin que de 5 à 10 heures par semaine. Ils me répliquent alors : « Je n'ai même pas ce temps disponible. »

Au fond, ce qu'ils admettent réellement sans s'en rendre tout à fait compte, c'est qu'ils ne sont pas bien organisés pour obtenir le maximum de rendement du temps dont ils disposent au jour le jour. Parlez-en à ceux qui l'emploient adéquatement. Un vieil adage ne dit-il pas : « Si vous voulez que quelque chose soit fait, demandez à quelqu'un de très occupé de le faire » ?

Pour vous aider à voir si vous avez le sens de l'organisation et de quelle façon vous utilisez votre temps, effectuez ce simple exercice. Sur une feuille de papier, inscrivez le temps que vous passez à dormir en moyenne, le temps pour vous mettre en branle le matin, le temps à préparer des repas et à manger, le temps consacré à vos déplacements pour vous rendre au travail, la période de temps réservée aux émissions de télévision, aux loisirs, et finalement, le temps pour les autres activités non listées ici. Ne soyez pas surpris si le total dépasse 24 heures. Cela veut juste dire que vos journées sont occupées, mais pas nécessairement bien organisées et productives.

Regardez attentivement l'ensemble de ces activités, essayez de voir où vous pourriez couper et même lesquelles d'entre elles vous pourriez éliminer. Vous découvrirez sûrement qu'il vous est possible de modifier le temps alloué à certaines activités, même si elles sont établies depuis très longtemps, afin de pouvoir consacrer quelques heures par semaine à votre nouvelle activité d'investisseur immobilier.

Vous devrez peut-être diminuer le temps passé à regarder la télévision, par exemple, ou même réduire votre temps de sommeil de 30 à 60 minutes, afin d'employer ce temps à bon escient, pour devenir un investisseur à succès. Il vous sera peut-être utile également de combiner certaines activités afin que ce temps soit plus efficace. Si vous voulez passer à la fois plus de temps avec votre famille et faire de l'exercice, alors faites de l'exercice en famille. Comprenez-vous ce que je vous propose ici ?

Afin de vous assister dans l'organisation de votre temps, laissez-moi vous suggérer un petit système de gestion du temps qui a toujours été très avantageux pour moi. Il se compose de trois sections.

PREMIÈREMENT, établissez vos priorités. Chaque soir, je fais une liste de toutes les choses que je dois accomplir le lendemain. Je dresse cette liste le soir venu, car c'est le temps de la journée où mes priorités du jour suivant sont les plus claires à mon esprit. Cette liste peut être divisée en trois sections:

1. Les choses absolument essentielles;
2. Les choses importantes après que les choses essentielles soient accomplies;
3. Les choses qui restent à accomplir quand les choses absolument essentielles et les choses importantes sont réalisées.

Malheureusement, la plupart du temps, ce sont souvent les activités de la section 3 qui sont les plus agréables à accomplir en priorité.

DEUXIÈMEMENT, développez l'habileté de bien gérer votre vie: établissez vos priorités, déterminez ce qui est le plus important à accomplir, et ce, de façon ordonnée. Faites attention à la procrastination, c'est-à-dire au fait de remettre ce que vous devez faire au lendemain. Quand on sait que plus des trois quarts de la population sont considérés comme des gens qui ont cette tendance à la procrastination, on comprend parfaitement pourquoi les systèmes de gestion du temps échouent dès le début.

TROISIÈMEMENT, apprenez à prendre des décisions. La plupart des «procrastinateurs» ne sont pas des preneurs de décisions. Prenez une décision, même si cette dernière n'est pas la meilleure. Comme le dit si bien Lee Iacocca, l'ancien président de Chrysler: «L'indécision coûte encore plus cher que les mauvaises décisions.»

Ce ne sont pas toutes les décisions que vous allez prendre dans votre nouvelle carrière d'investisseur qui seront les plus appropriées. Le but de ce chapitre est de vous aider dans le processus de décision à minimiser l'impact des décisions moins judicieuses et, comme vous aurez à en prendre de plus en plus, vous aider à prendre les bonnes.

CHOISISSEZ-VOUS UN COACH OU UN MENTOR EXPÉRIMENTÉ

Combien de fois ai-je entendu, lors de mes formations et des réunions mensuelles du Club d'investisseurs immobiliers du Québec, des gens qui parlent de leurs projets d'investissement immobilier avec des personnes sans expérience et qui n'ont jamais possédé le moindre immeuble, sauf peut-être leur résidence familiale? L'investissement immobilier est une spécialité. Alors, demandez conseil à des gens expérimentés dans le domaine. Demandez-vous des conseils à propos de votre santé à votre mécanicien ? Suivez-vous les conseils de votre coiffeur en ce qui a trait aux placements boursiers ?

Choisissez votre conseiller, votre coach ou votre mentor avec sagesse. Voici 3 conseils qui vous aideront à le choisir adéquatement :

1. Il doit être un investisseur immobilier actif qui utilise les stratégies qu'il enseigne.
2. Il doit avoir réalisé un minimum de 20 transactions immobilières dans sa carrière. De cette façon, il possède l'expérience d'avoir transigé selon différentes situations d'achat et de vente.
3. Il doit investir dans l'immobilier depuis un minimum de 5 ans (minimum absolu). De cette façon, il aura l'expérience d'avoir connu différents cycles ou conditions du marché. Idéalement, il investit dans l'immobilier et aura vécu au moins un cycle complet de croissance et de stabilisation du marché (souvent pendant une décennie ou plus).

ATTENTION : Méfiez-vous des beaux parleurs. Il y a tant de gens sur le marché qui ont la parole facile, qui savent bien présenter les choses, mais qui n'ont jamais possédé un seul immeuble.

LES TROIS ÉLÉMENTS ESSENTIELS DE L'INVESTISSEMENT IMMOBILIER

Il existe trois éléments essentiels pour devenir un investisseur immobilier à succès. Vous serez certainement surpris d'apprendre que ce ne sont pas l'argent, la chance ou le talent qui sont nécessaires, ce sont :

1. Un système ;
2. Vos contacts et relations ;
3. L'audace, l'engagement et la persévérance.

Voici comment ces trois éléments fonctionnent :

1. UN SYSTÈME

C'est la fondation sur laquelle vous allez ériger votre bien-être financier. Suivez un système éprouvé et respectez-le. Il doit avoir été utilisé dans votre région. Concentrez-vous sur le genre d'immeubles dans lequel vous désirez investir. Ce livre vous décrit des méthodes et des principes qui fonctionnent au Québec et au Canada. C'est le genre d'informations que vous devez rechercher. Il existe sur le marché une quantité impressionnante de livres, de CD, de DVD et de séminaires sur l'immobilier qui sont tous excellents, mais qui ne sont toutefois pas adaptés au marché et au contexte québécois et canadien.

2. VOS CONTACTS ET RELATIONS

Entourez-vous des meilleurs experts et utilisez le plus possible leurs talents. Ces relations seront le carburant nécessaire pour faire fonctionner les rouages de votre machine et ce sera plus facile pour vous d'atteindre un succès dépassant tout ce que vous pourriez imaginer. À l'opposé, si vous focalisez sur l'argent au lieu de développer des relations utiles, vous vous retrouverez en position de devoir courir après les aubaines. Vous vous essoufflerez, vous deviendrez anxieux et serez inquiet de ne pas parvenir à trouver une autre aubaine. C'est pourquoi tout au long de ce livre, vous apprendrez à constituer une banque de contacts et de relations d'affaires par rapport à l'investissement immobilier. Les relations principales que vous aurez à cultiver et à entretenir sont :

1. Un ou des agents d'immeubles qui comprendront votre philosophie, vos principes d'investissement, ainsi que vos objectifs financiers. Laissez-moi vous dire à ce stade-ci que ce n'est guère facile de trouver un tel agent, pour la simple et bonne raison que la grande majorité d'entre eux sont spécialisés dans la vente de maisons unifamiliales et non dans la vente de « multilogements[4] ». Aussi ont-ils de la difficulté avec certaines techniques enseignées dans ce livre.
2. Un bon banquier ou courtier en financement hypothécaire spécialisés également dans l'immobilier multilogement. Quelqu'un qui a l'expertise de trouver du financement pour des transactions compliquées et difficiles. Pour ma part, je préfère de beaucoup utiliser les services de courtiers hypothécaires pour plusieurs raisons : ils procèdent à l'évaluation préalable, assemblent les documents nécessaires, constituent les dossiers,

---

4. Immeubles de logements multiples de cinq unités et plus.

évaluent les différents prêteurs et vous conseillent dans la préparation de vos dossiers avant de les présenter officiellement. N'oubliez pas que, dans la majorité des cas, ils sont payés seulement si vous obtenez le prêt demandé. Alors, vous comprenez à quel point il faut que leurs dossiers soient complets, étudiés et bien présentés.

3. Un bon notaire avec un minimum de 10 années d'expérience en immobilier résidentiel et commercial. Ne le choisissez pas seulement en fonction du coût de ses honoraires. L'expérience vaut son pesant d'or et très souvent il est moins coûteux de payer un peu plus cher et d'éviter des erreurs. Pensez à ceci : qu'est-ce que ça représente de payer 1 000 $ de plus en frais de notaire sur une transaction de centaines de milliers de dollars ? Quand on pense aux prix actuels des immeubles, on peut parler assez facilement de transactions atteignant le million de dollars et plus.
4. Un réseau de gens axés sur le succès, comme on en retrouve dans le Club d'investisseurs immobiliers du Québec (www.clubimmobilier.qc.ca). Même si vous ne rencontrez ces gens qu'une seule fois par mois, vous y trouverez tour à tour de l'inspiration, de la motivation, des conseils, mais surtout un réseautage de gens qui, comme vous, pensent immobilier avant tout.
5. Des évaluateurs agréés, des « inspecteurs en bâtiments[5] », des ouvriers d'entretien, des compagnies de gestion d'immeubles, des comptables qui investissent eux-mêmes dans l'immobilier, des associés, etc.

3. L'AUDACE, L'ENGAGEMENT ET LA PERSÉVÉRANCE

C'est le sujet dont la plupart des gens évitent de parler. Et pourtant, même avec le meilleur système, le plus grand « réseau de contacts[6] », rien de positif n'arrivera si vous ne passez pas à l'action. C'est

5. Inspecteur de bâtiments : Personne responsable de la délivrance des permis et certificats en matière d'urbanisme.
6. Réseautage d'affaires : Constitution d'un réseau de personnes, d'entreprises ou d'organismes partenaires, dans le but d'animer et d'utiliser ce réseau de relations pour organiser, recueillir et partager de l'information sur les études de marchés, l'évolution du domaine concerné, et l'atteinte des objectifs commerciaux visés.

pourquoi le fait de suivre les étapes nécessaires à l'atteinte de vos objectifs est crucial. Les rêves sont pour les rêveurs (quoiqu'il faille rêver pour être capable de se fixer des objectifs), les résultats sont pour les gens d'action. Même si vous n'êtes pas certain et confiant à 100 % de ce que vous faites, au moins effectuez un pas en avant vers l'atteinte de vos objectifs. Comme le dit un vieux proverbe chinois : « Avant de faire un kilomètre, il faut faire un mètre. »

Tout au long des chapitres, vous découvrirez dans ce livre une méthode et un système éprouvés que j'utilise encore (depuis plus de 25 années). Ils vous montreront comment et où trouver des immeubles en bas du prix du marché, comment les analyser, comment les financer, et comment les acheter. Vous apprendrez que, dans l'immobilier, ON FAIT SON PROFIT À L'ACHAT, et pour ceux qui le désirent, vous découvrirez les notions pour faire fortune grâce à l'investissement immobilier.

LE PROFIL DE L'INVESTISSEUR IDÉAL

Avant de vous donner une description sommaire de ma vision concernant l'investisseur idéal, laissez-moi vous rassurer : personne ne correspond à ce profil à 100 %. Je vous avoue d'ailleurs humblement que, malgré toute mon expérience, je n'y corresponds pas totalement moi-même, mais j'y aspire.

La personne décrite ci-dessous jouit d'une vie équilibrée et elle est en maîtrise totale d'elle-même. Elle est dotée d'un sens des responsabilités très développé envers sa famille, ses amis et sa communauté. Sa vie spirituelle n'est pas sacrifiée au profit des plaisirs matériels.

Cette personne est bien éduquée relativement à l'investissement immobilier. Elle comprend mon programme, elle a lu divers livres sur le sujet et suivi d'autres cours sur l'immobilier. Elle connaît le langage immobilier et son marché local.

Ses objectifs ont été mûrement réfléchis, inscrits sur papier avec soin et mis en pratique de façon consciente. Elle prend les bonnes décisions et sait où aller chercher les informations qui vont l'assister pour ce faire. Sa philosophie est orientée sur le résultat gagnant-gagnant, où la négociation est favorable à chacune des parties.

Enfin, cette personne manifeste sa confiance en elle-même. Étant sûre d'elle grâce aux connaissances et aux expériences acquises, elle n'a nul besoin de se tenir sur la défensive, car elle sait fort bien comment les exploiter.

Comme je vous le précisais précédemment, je ne crois pas qu'une telle personne existe exactement comme je l'ai décrite ici et qu'elle réunisse toutes les conditions optimales pour être un investisseur idéal, mais on peut toujours essayer de s'améliorer et d'arriver à ce niveau.

Chose certaine, une fois la lecture de ce livre terminée, vous aurez en votre possession plusieurs techniques et stratégies pour vous aider à acquérir cette confiance en vous-même, et pour pouvoir acheter votre première propriété dans les jours ou les mois qui suivront.

2

SE BÂTIR UNE FORTUNE À PARTIR DE PRESQUE RIEN

UN PEU DE SENSATIONNEL

FAIRE DES MILLIONS À PARTIR DE SOUS

Si je vous donnais le choix de travailler pour moi à 1 000 $ par jour pendant une période de 35 jours ou de travailler pour vous-même en échange d'une pièce de monnaie d'un sou noir, le premier jour, lequel sou noir doublerait chaque jour durant les mêmes 35 jours, quel choix seriez-vous tenté de faire?

Si vous choisissez de travailler à 1 000 $ par jour, vous encaisserez 35 000 $ au bout de 35 jours. Ce serait en effet un salaire phénoménal. Cependant, si vous choisissez de travailler à un sou, le premier jour, avec la possibilité de doubler ce montant chaque jour, au cours des 35 prochains jours, votre argent fructifiera au taux de 100 % par jour.

Vous conviendrez avec moi que le fait de choisir 35 000 $ est tout aussi alléchant que tentant. Sans l'aide d'un crayon ni d'une calculatrice, quel choix feriez-vous?

	OFFRE 1	OFFRE 2
Jour	**$**	**$**
1	1 000 $	0,01 $
2	1 000 $	0,02 $
3	1 000 $	0,04 $
4	1 000 $	0,08 $
5	1 000 $	0,16 $
6	1 000 $	0,32 $
7	1 000 $	0,64 $
8	1 000 $	1,28 $
	8 000 $	2,55 $

Avez-vous pris votre décision? Prendriez-vous 1 000$ par jour ou choisiriez-vous de faire fructifier votre sou de départ au taux de 100% par jour? Pour le moment, revenons à notre tableau:

	OFFRE 1	OFFRE 2
Jour	**$**	**$**
9	1 000 $	2,55 $
10	1 000 $	5,10 $
11	1 000 $	10,20 $
12	1 000 $	20,40 $
13	1 000 $	40,80 $
14	1 000 $	81,60 $
15	1 000 $	163,20 $
16	1 000 $	326,40 $
	16 000 $	652,80 $

Et maintenant, que choisissez-vous?

Pour le prochain tableau, nous avons préféré arrondir les chiffres pour ne pas s'encombrer de trop de décimales.

	OFFRE 1	OFFRE 2
Jour	**$**	**$**
17	1 000 $	650 $
18	1 000 $	1 300 $
19	1 000 $	2 600 $
20	1 000 $	5 200 $
21	1 000 $	10 400 $
22	1 000 $	20 800 $
23	1 000 $	41 600 $
24	1 000 $	83 200 $
	24 000 $	166 400 $

Votre décision n'est plus difficile à prendre maintenant. Vous avez encore 11 jours pour faire croître votre argent. Continuons nos calculs pour le simple plaisir de voir:

	OFFRE 1	OFFRE 2
Jour	**$**	**$**
25	1 000 $	166 400 $
26	1 000 $	332 800 $
27	1 000 $	665 600 $
28	1 000 $	1 331 200 $
29	1 000 $	2 662 400 $
30	1 000 $	5 324 800 $
31	1 000 $	10 649 600 $
32	1 000 $	21 299 200 $
33	1 000 $	42 598 400 $
34	1 000 $	85 196 800 $
35	1000 $	170 393 600 $
	35 000 $	340 787 200 $

Note : Comme nous le précisions plus haut, ces chiffres ont été arrondis pour faciliter la présentation.

La plupart des gens croient qu'il est impossible qu'un simple sou noir que l'on fait fructifier au taux de 100 % par jour vaille un tiers de milliard de dollars après seulement 35 jours.

Cet exemple est bien sûr quelque peu exagéré, mais il vous démontre parfaitement l'effet des intérêts composés sur une certaine période de temps. Ces intérêts composés sont pratiquement le seul moyen de gagner rapidement des millions aujourd'hui.

Nous verrons plus loin dans ce livre la force que représentent les intérêts composés combinés à l'effet de levier. Vous verrez qu'il est encore possible de s'enrichir et de faire fortune dans l'immobilier si vous parvenez à comprendre ces principes et à les mettre en pratique.

Un des objectifs de cet ouvrage est de vous transmettre le plus de connaissances possible. Celles-ci vous rendront apte à vous bâtir une santé financière substantielle grâce à l'immobilier, en utilisant très peu ou voire pas du tout votre argent. L'immobilier est un véhicule d'investissement absolument unique. Il est littéralement possible de se constituer une fortune à partir de rien ou de presque rien.

Alors, pourquoi les gens n'investissent-ils pas davantage dans l'immobilier ? La raison est-elle qu'ils ne connaissent tout simplement pas les bénéfices reliés à l'immobilier ? J'espère que la réponse à la deuxième question est oui. En fait, pour être plus précis, ils savent sans doute que l'immobilier est le meilleur investissement possible, mais peut-être croient-ils qu'il faut beaucoup d'argent et un bon crédit pour acheter des immeubles.

En d'autres mots, ils pressentent qu'investir dans l'immobilier est le meilleur placement qui existe sur le marché, mais que ce secteur de l'investissement est réservé à ceux qui possèdent déjà de l'argent. Alors, ils continuent de faire ce qu'ils ont toujours fait, c'est-à-dire travailler dur et essayer d'économiser de l'argent en vue de leur retraite. Mais la vérité est tout autre. Voyons comment je l'explique.

LES BÉNÉFICES FONDAMENTAUX NÉCESSAIRES À TOUT BON INVESTISSEMENT

Peu importe le type d'investissement choisi, il faut toujours chercher les cinq composantes suivantes :

- LES REVENUS ;
- LA CROISSANCE ;
- LA CAPITALISATION ;
- LES AVANTAGES FISCAUX ;
- L'EFFET DE LEVIER.

À ma connaissance, l'investissement immobilier est l'un des seuls véhicules de placement qui arrive à proposer ces cinq bénéfices de façon autonome. Ce type de placement est celui qui procure le plus de sécurité aux institutions financières et aux organismes qui accordent des prêts hypothécaires. Par conséquent, étant donné que l'immobilier offre des garanties plus sûres, les prêteurs consentent à accorder des prêts plus élevés par rapport à la valeur totale d'un immeuble. De ce fait, cela facilite l'accès à la propriété d'un immeuble beaucoup plus que n'importe quel autre type d'investissement.

À la limite, pour une maison unifamiliale que l'on veut habiter, il est possible d'obtenir un financement pouvant aller jusqu'à 100 % de la valeur de l'immeuble ou du prix payé.

Mais pour bien comprendre les bénéfices d'un investissement, regardons de plus près chacune de ces composantes.

LES REVENUS

Plusieurs investissements produisent des revenus ou des profits en argent disponible. Par exemple, les revenus de location générés par les placements immobiliers moins les dépenses d'opération[1] d'un immeuble génèrent un surplus d'argent désigné en termes immobiliers comme étant un surplus d'encaisse positif (cash-flow)[2]. Et ce surplus revient à l'investisseur sur une base hebdomadaire, mensuelle ou annuelle.

D'ailleurs, ce revenu est considéré comme l'un des retours sur investissement[3] espérés d'un bon placement. Ces revenus peuvent être utilisés pour accroître ou maintenir son standard de vie. Ils peuvent aussi être réinvestis pour gagner de nouveaux revenus.

LA CROISSANCE

Dans le secteur de l'immobilier, la croissance est reconnue comme étant l'appréciation ou la plus-value. L'immobilier, règle générale, a crû et croîtra de façon considérable au cours des prochaines années. Dans les types de placement reconnus, seul l'immobilier a connu des années de croissance régulières et constantes, comparativement à tout autre placement.

La Bourse, quant à elle, expérimente régulièrement des chutes catastrophiques. Nous n'avons qu'à penser au krach des années 1930, à celui de 1987 et, plus récemment, à la déconfiture des hautes technologies du début de l'an 2000 à ce jour. La Bourse est presque complètement basée sur l'offre et la demande. Par ailleurs, il est de plus en plus difficile et discutable d'accorder notre confiance aux dirigeants des grandes entreprises cotées en Bourse. À preuve, les scandales financiers de Nortel et Enron, pour ne citer que ces deux cas.

1. Dépenses d'exploitation ou charges : Dépenses qu'il convient de passer immédiatement en charges plutôt que de les capitaliser, étant donné que l'entité n'en retirera des avantages que pendant l'exercice en cours.
2. Flux de l'encaisse en liquidités : Rentrées et sorties de fonds afférentes à une période ou attribuables à une opération donnée, un projet d'investissement, etc.
3. Rendement du capital investi, rentabilité de l'investissement : ratio financier qui est égal au quotient résultant de la division du bénéfice tiré d'un investissement par le capital investi.

Si on revient à l'immobilier, il est vrai que, au cours des années 1990, ce secteur a connu des baisses de prix notables dans certaines régions. Aujourd'hui cependant, les immeubles ont repris toute leur valeur perdue antérieurement si bien qu'ils valent même beaucoup plus depuis le début de la croissance du cycle actuel, qui a débuté en 2001, et qui n'a toujours pas atteint son sommet au moment de la publication de ce livre.

Il semble donc que cette croissance est loin de s'essouffler. Comme on le constate, peu importe s'il y a plafonnement à une certaine période, l'évolution du marché fait en sorte que cela repart de plus belle quelques années plus tard. Et même dans des arrondissements ou des quartiers boudés par les investisseurs auparavant.

Examinons de plus près des secteurs de la région de Montréal, tel l'arrondissement du Plateau-Mont-Royal, dont la demande de location est tellement forte que les propriétaires doivent se constituer des listes d'attente. Et puis, il y a Lachine qui connaît actuellement une croissance inespérée. Verdun, qui fut durant de longues années un secteur évité par les investisseurs, est actuellement en grande demande. Même constat pour les berges du canal Lachine ou le quartier Hochelaga-Maisonneuve où l'on remarque un regain d'intérêt. Et que dire de Laval qui, avec l'implantation du métro, connaît une croissance exceptionnelle ?

En somme, qui peut prédire vraiment les aléas du marché de l'immobilier ? La ville de Sorel a connu un succès fulgurant dans les années 60 avant de sombrer dans le marasme et de devenir une ville presque désertée par les investisseurs. Et pourtant elle amorce actuellement un revirement total de sa situation puisqu'elle est en train de renaître. Bref, tout cela pour dire que le marché fluctue, qu'il ne faut jamais désespérer et qu'en ce moment, les placements immobiliers sont excellents partout au Québec. Les occasions abondent. À vous d'en tirer profit !

À votre avis, quelle est la principale répercussion de cette situation sur les immeubles ? Eh oui, il en résulte une augmentation de leur valeur marchande.

Si on jette un coup d'œil rétrospectif sur le secteur immobilier, on observe bien sûr que l'immobilier, tout comme la Bourse, connaît des crises cycliques, mais ces fluctuations sont moins drastiques et spectaculaires que celles des marchés boursiers mondiaux.

Bien entendu, vous n'avez pas tort de souligner ce qui s'est passé dans les années 1990 à 2000, alors qu'il n'y avait plus aucune logique mathématique dans l'immobilier, tout n'était axé que sur la demande. Mais souvenez-vous, tout juste avant cette période, que les investisseurs traitaient l'immobilier comme la Bourse, c'est-à-dire en fonction de l'offre et de la demande.

Aussi, ce qui devait arriver arriva. Le marché s'est effondré pour revenir aux facteurs normaux d'évaluation des immeubles basés sur la méthode du revenu, du coût de remplacement[4] et des comparables[5].

LA CAPITALISATION

Pour chaque versement effectué sur le remboursement d'un prêt, ce montant se divise en deux composantes : soit le capital et les intérêts. La capitalisation fait en sorte qu'après chacun de ces versements, à la longue, le solde du prêt diminue d'un certain montant.

Il vous faudra peut-être 25 ans (le terme maximal d'un contrat de vente) pour rembourser votre prêt, mais au bout du compte, vous vous acquitterez de cette dette, et l'immeuble vous appartiendra. En gardant à l'esprit que tout le monde doit posséder un toit, un espace où loger, cela confère une certaine stabilité au monde de l'immobilier.

LES AVANTAGES FISCAUX

La loi de l'impôt nous autorise à l'amortissement sur le prix d'achat d'un immeuble au cours des années pourvu que cet amortissement ne crée pas ou n'augmente pas le « déficit d'opération[6] », c'est-à-dire que les dépenses d'exploitation soient plus élevées que les revenus. Ce qui nous permet de retarder les impôts que l'on aurait à payer sur le profit d'opération généré par la location des logements.

---

4. Frais de remplacement ou prix de remplacement : Le prix qu'il faudrait payer pour une propriété ayant les mêmes avantages et la même utilité que celles qui sont sous observation.
5. Transactions comparables : Transactions effectuées dans un marché donné et qui présentent des traits de similitude entre elles. On les nomme couramment *méthode des comparables* ou *méthode des multiples*. On parle alors de *marchés* ou *prix comparables* ou de *transactions* ou *valeurs comparables*.
6. Déficit d'exploitation, perte nette ou résultat déficitaire.

L'EFFET DE LEVIER

L'effet de levier plus que tout autre bénéfice d'investissement, est responsable de la création de tant de fortunes chez les investisseurs immobiliers. L'effet de levier n'est rien d'autre que d'utiliser l'argent des autres (ADA) pour réaliser vos propres objectifs d'investissement. L'effet de levier est le cœur de l'investissement immobilier.

Si vous achetez un immeuble pour 100 000 $, que vous investissez 100 000 $ de votre propre argent et que l'immeuble augmente à 110 000 $, vous aurez réalisé un profit de 10 % sur votre argent. Si vous aviez acheté ce même immeuble en utilisant 1 000 $ de votre argent et que la propriété ait augmenté de 10 000 $, alors votre rendement aurait été de 1 000 %.

Aucun autre investissement, que ce soit de l'or, des actions en Bourse, des obligations, ou n'importe quel autre type d'investissement, ne peut utiliser l'effet de levier comme peut le faire l'immobilier. En d'autres mots, il vous faut de l'argent pour acheter des actions. Vous n'avez pas besoin autant de votre propre argent pour acheter des immeubles. Utiliser l'argent des autres est très important dans l'atteinte des hauts rendements que vous anticipez.

Je me dois d'ouvrir une parenthèse pour vous informer que l'effet de levier peut aussi jouer contre vous si vous n'êtes pas prudent dans vos choix d'immeubles. En règle générale, plus l'effet de levier est utilisé, plus les versements mensuels seront élevés. C'est pourquoi il vous faudra sélectionner vos immeubles de façon très analytique et faire aussi attention lors de vos négociations pour être certain que les revenus générés par vos immeubles seront suffisants pour couvrir les dépenses afin d'en retirer un profit.

Acheter un immeuble en n'investissant aucun argent est relativement facile, mais acheter la bonne propriété, au bon prix, et avec les meilleures conditions possibles, c'est la clé du succès en immobilier.

C'est ce que je vais essayer de vous démontrer tout au long de ce livre.

VOICI QUELQUES BÉNÉFICES FINANCIERS ET PERSONNELS SUPPLÉMENTAIRES GÉNÉRÉS PAR DES INVESTISSEMENTS IMMOBILIERS

- le contrôle de vos investissements ;
- la fierté d'être propriétaire ;
- des revenus pouvant provenir de commissions (attention au courtage immobilier) ;
- une équité[7] instantanée ;
- la capitalisation du prêt hypothécaire ;
- le profit et le revenu comptant lors d'une vente adéquate ;
- une perspective de l'immobilier (regardez les 20, 30, 50 ou 100 dernières années) ;
- que nous réserve l'avenir ?

POUVONS-NOUS VRAIMENT CRÉER UN FORTUNE À PARTIR DE PRESQUE RIEN ?

Un grand succès n'est rien d'autre qu'une série de petits succès. Devenir millionnaire dans l'immobilier n'est pas difficile, si vous êtes prêt à le faire étape par étape. Si, après avoir lu ce livre, vous achetez 10 immeubles de 100 000 $ chacun, vous aurez alors 1 000 000 $ de valeurs immobilières. Dans 25 ans ou moins, vous aurez payé les hypothèques sur ces immeubles. Et qui paiera les versements mensuels? LES LOCATAIRES.

De plus, il y a de fortes chances que ces mêmes immeubles aient augmenté en valeur. Si l'on regarde l'augmentation de valeur que l'immobilier a obtenue au cours des 25 dernières années, il n'est pas exagéré de dire qu'ils valent certainement 10 fois plus qu'en 1980. C'est donc dire que quelqu'un qui aurait acheté pour un million de dollars d'immeubles en 1980 vaudrait aujourd'hui 10 millions de dollars. Nul besoin de spéculer, il faut seulement garder vos immeubles, augmenter les loyers d'année en année, en faire un entretien adéquat, et le tour est joué.

---

7. Avoir net ou avoir propre: Valeur marchande d'un bien immeuble, nette des créances. L'avoir net augmente au fur et à mesure du remboursement du capital et de l'augmentation de la valeur marchande du bien immeuble.

À la fin de ce livre, vous comprendrez qu'un investisseur, tout en se gardant une marge sécuritaire[8] en refinançant ses immeubles, aurait pu accumuler une fortune encore plus importante en achetant d'autres immeubles avec l'argent supplémentaire généré par l'augmentation de valeur des immeubles qu'il possède.

Le tableau suivant est une table d'enrichissement qui tient compte d'un achat par année, de la capitalisation et d'achats à 10 %, en deçà de la valeur du marché, avec une mise de fonds de 10 % et une augmentation moyenne de valeur de 10 % par année. Selon cette hypothèse, examinez bien la valeur nette obtenue après 10 années :

EXEMPLE DE STRATÉGIE D'INVESTISSEMENT

Année d'achat	Valeur du marché lors de l'achat	Prix acheté	Valeur 10 ans après l'achat Nº 1	Solde de l'hypothèque après 10 ans	Équité après 10 ans
1	125 000 $	112 500 $	250 000 $	74 719 $	175 281 $
2	137 500 $	123 750 $	261 250 $	93 790 $	167 460 $
3	151 250 $	136 125 $	272 250 $	112 685 $	159 565 $
4	166 375 $	149 738 $	282 838 $	131 447 $	151 390 $
5	183 013 $	164 711 $	292 820 $	150 118 $	142 702 $
6	201 314 $	181 182 $	301 971 $	168 741 $	133 229 $
7	221 445 $	199 301 $	310 023 $	187 359 $	122 664 $
8	243 590 $	219 231 $	316 667 $	206 013 $	110 654 $
9	267 949 $	241 154 $	321 538 $	224 746 $	96 793 $
10	294 743 $	265 269 $	324 218 $	243 600 $	80 618 $
11	324 218 $	291 796 $	324 218 $	262 616 $	61 601 $
Total			3 257 792 $	1 855 834 $	1 401 958 $

8. Marge de sécurité : Marge de manœuvre de l'emprunteur, exprimée par le rapport entre le revenu net d'exploitation d'un bien immeuble moins les charges de remboursement annuelles et le revenu net d'exploitation. Cette marge de sécurité est représentée par la formule RN-PMT/RN.

Eh oui, vous avez bien lu, vous auriez atteint une valeur nette de 1 401 958 $ (chiffres arrondis). Par conséquent, selon l'hypothèse émise, si vous vendiez tout lors de la 11e année, il vous resterait cette somme d'argent avant impôts évidemment.

L'exemple précédent est basé sur un achat hypothétique de 125 000 $, et croyez-moi, au moment où j'écris ce livre, en 2007, il n'y a pas beaucoup d'immeubles à ce prix selon la région où l'on se trouve. En ce qui concerne la région de Montréal, à ce prix, on ne peut acheter qu'un condo[9].

Imaginez maintenant le résultat si vous en achetez pour 250 000 $ ou pour 500 000 $ par année. Dans le premier cas, les résultats seraient multipliés par 2 et dans le deuxième cas, ils le seraient par 4, c'est-à-dire au-delà de 2 millions ou de 4 millions de dollars.

Cela semble incroyable, mais c'est exactement ce qui s'est passé entre l'an 2000 et actuellement.

Comme nous venons de le voir, l'investissement immobilier joue sur tous les plans :

- des revenus nets d'opération comme tout commerce devrait le faire ;
- le remboursement de la dette occasionné par les même revenus nets d'opération ;
- l'augmentation de valeur créée par la nécessité d'avoir à se loger, l'augmentation des prix des terrains et des coûts de construction, etc. ;
- l'effet de levier qui fait que l'on peut utiliser un bien dépassant de beaucoup notre mise de fonds (ce qui est presque exclusif à l'immobilier) ;
- l'amortissement que l'on peut prendre afin de retarder le plus possible l'impact fiscal.

Quoi qu'il en soit, quelqu'un de peu fortuné peut débuter comme investisseur immobilier au même titre que celui qui a beaucoup d'argent. Il n'a qu'à choisir d'acheter un immeuble moins onéreux et il sera quand même en affaires selon les mêmes modalités que celui qui peut acquérir de plus gros immeubles. La différence se situe pour le

9. Copropriété : Modalité de propriété en vertu de laquelle la propriété d'un bien immeuble est répartie par lots entre les copropriétaires.

moment dans le montant qu'il peut consentir pour un achat. Après quelques années, s'ils maintiennent tous deux la même constance, ils seront probablement égaux sur le plan des investissements.

Très peu de véhicules de placement nous permettent de réunir toutes ces composantes. Par contre, l'immobilier n'est pas un placement passif comme peuvent l'être les investissements boursiers. Vous devez gérer vos immeubles (du moins au début), louer les logements par vous-même, percevoir l'argent des loyers, entretenir les édifices.

Toutefois, il est toujours possible de faire administrer ces immeubles par des firmes de gestion immobilière qui feront tout le travail à votre place. Il en résultera peut-être une diminution de rendement, mais cette situation vous permettra de vous dégager pour faire d'autres recherches d'immeubles et accroître votre portefeuille immobilier.

Tout cela n'est qu'une question d'objectifs personnels propres à chacun. Chose certaine, l'immobilier est accessible à toutes les classes de la société : que l'on soit riche ou pauvre, instruit ou non, ouvrier ou professionnel, femme ou homme, jeune ou moins jeune, etc. Vous pouvez vous aussi devenir quelqu'un qui investit dans l'immobilier. Pour ce faire, analysons des stratégies d'investissement.

3

STRATÉGIES D'INVESTISSEMENT

À mon sens, l'une des meilleures façons d'atteindre la liberté financière (si ce n'est la meilleure) et de vivre dans la richesse, c'est de faire l'acquisition de propriétés à revenus au cours des années. Bien que le fait de se constituer un portefeuille immobilier respectable est un processus qui peut prendre des mois, voire des années, l'investisseur patient et diligent verra ses efforts récompensés, car la probabilité est élevée qu'il parvienne à un niveau de revenus et d'accroissement de richesses bien au-dessus de la moyenne.

Cependant, pour chacune des propriétés envisagées, des analyses attentives sont cependant nécessaires. Une analyse appropriée ne se limite pas seulement à une simple revue de la bonne condition et de l'emplacement des immeubles. Pour avoir du succès dans ce genre d'entreprise, une approche plus exhaustive est requise. Ce livre veut être un guide de base pour vous aider à développer en quelque sorte une méthode d'analyse et d'évaluation de toutes les propriétés que vous aurez à considérer.

Cette méthode, lorsqu'elle est appliquée de façon appropriée, vous dotera d'un esprit compétitif et vous transmettra un minimum de connaissances requises pour avoir du succès dans ce genre d'entreprise. Vous apprendrez à donner une valeur à un immeuble de façon la plus précise possible et non une valeur arbitraire comme la plupart des investisseurs peuvent le faire. Lorsque vous aurez terminé la lecture de ce livre, vous devriez être en mesure de savoir pourquoi un édifice à logements multiples ne vaut que 700 000 $ au lieu du 950 000 $ que le vendeur peut demander. La compréhension adéquate de ce principe simple peut faire toute la différence entre le succès et l'échec.

Même si tous les lecteurs de ce livre viennent de milieux différents et ont fort probablement des expériences différentes dans la vie, ils ont tous un point en commun : UN INTÉRÊT GRANDISSANT POUR L'INVESTISSEMENT IMMOBILIER.

UNE STRATÉGIE D'INVESTISSEMENT

Peu importe votre provenance ou votre expérience, peu importe les sommes d'argent dont vous disposiez, il vous faut absolument vous préparer une stratégie d'investissement. Les possibilités de propriétés sont très variées tout autant que les objectifs de chacun. C'est pourquoi chaque investisseur doit se doter de sa propre stratégie d'investissement. Voici le type de questions fondamentales à se poser :

- *« Quelles sont mon éducation et mes expériences en la matière ? »*
- *« Quel genre de propriété est-ce que je souhaite acheter ? »*
- *« Combien d'immeubles ou d'unités locatives doivent m'intéresser ? »*
- *« Dans quelle ville et quel secteur de cette ville dois-je orienter mes efforts ? »*
- *« Est-ce un immeuble résidentiel, commercial ou industriel ? »*
- *« De combien d'argent est-ce que je dispose ? »*
- *« Quelles sont mes possibilités d'emprunt ? »*
- *« Quels sont mes talents de gestionnaire, de personne à tout faire ? »*
- *« Quel est mon niveau de confiance en moi ? »*
- *« Quelles sont mes ressources de toutes sortes ? »*

Établir une stratégie est la première étape du mode d'acquisition d'immeubles. Vous devez vous questionner le plus possible afin de préciser votre profil d'investisseur. Être propriétaire d'un triplex diffère vraiment du fait de posséder plutôt un immeuble de 24 logements, des maisons unifamiliales, des condominiums, un « strip »[1] commercial ou un édifice industriel. Chaque propriétaire est différent et développe son propre niveau de tolérance aux problèmes tout aussi variables d'un type d'immeuble à un autre.

---

1. Centre commercial linéaire, commerces en rangée ou en bande : Centre commercial où les magasins, les commerces de détail et de services sont alignés le long d'un trottoir commun, forçant les clients à sortir à l'extérieur pour passer d'un commerce à l'autre. Les magasins donnent généralement sur un parc de stationnement.

Voici quelques points qui pourront vous aider à établir votre stratégie d'investissement :

DES MAISONS UNIFAMILIALES PAR RAPPORT AUX « PROPRIÉTÉS À LOGEMENTS[2] »

Bien entendu, il y a tout autant d'avantages que de désavantages à être propriétaire de ces deux sortes d'immeubles. Nous allons donc tenter d'analyser quelques-uns des points principaux à considérer avant d'investir dans une maison unifamiliale ou dans un immeuble multilogement.

DU TEMPS ET DE L'EFFICACITÉ

La valeur la plus équitable que nous avons tous, c'est LE TEMPS. Chacun d'entre nous dispose de 24 heures dans une journée, ni plus ni moins. D'où l'importance d'utiliser ce temps au maximum plutôt que de le gaspiller. C'est notre responsabilité de l'employer à bon escient le plus efficacement possible.

D'un point de vue purement pratique, vous épargneriez un temps précieux si vous parveniez à repérer un groupe d'unités de logements et que vous les achetiez lors d'une seule et même transaction. C'est logique, n'est-ce pas ? Non seulement cette méthode serait-elle beaucoup plus efficace, mais elle requiert également moins de temps que d'acheter plusieurs unités réparties en de multiples transactions.

Supposons, par exemple, que votre objectif est d'acquérir 24 propriétés au cours des 12 prochains mois. Si vous optez pour des maisons unifamiliales, vous devrez en acheter 2 par mois pour atteindre votre objectif. Mon expérience m'a appris qu'avant d'acheter votre première maison, vous en visiterez probablement une bonne dizaine. Dans cette optique, cela signifie qu'au cours des 12 prochains mois, vous évaluerez au moins 24 maisons par mois, soit 240, pour parvenir à réaliser votre objectif d'acheter 24 unités. Je présume que la plupart des lecteurs ont déjà un emploi à plein temps et investissent dans l'immobilier à temps

2. Immeuble d'appartements : Immeuble collectif d'habitation divisé en appartements ayant une seule adresse et où sont offerts des services communs comme le chauffage, les ascenseurs (s'il y a lieu), la buanderie. « Immeuble de logements » est aussi utilisé pour désigner un immeuble d'appartements mais il est moins précis, un logement pouvant être autre chose qu'un appartement.

partiel afin de se constituer un patrimoine ou un fonds de pension. Néanmoins, je vous assure que si vous travaillez à plein temps, cet objectif est presque irréalisable.

Envisageons maintenant le même objectif, mais en portant notre attention sur un immeuble multilogement. Vous pouvez choisir d'acquérir ces 24 logements de différentes façons. Par exemple, vous pourriez acheter un seul immeuble de 24 logements, ou 2 édifices de 12 logements, ou encore 3 immeubles de 8 logements, 6 quadruplex, ou une combinaison d'immeubles variés totalisant 24 logements.

Admettons encore que, pour atteindre votre objectif de 24 logements, vous avez prospecté un immeuble de 12 unités, un autre de 8 unités et un quadruplex, par surcroît. Vous n'aurez à régler que 3 transactions au cours de l'année, comparativement à 24, si vous choisissiez d'acquérir 24 maisons unifamiliales. En gardant à l'esprit la même hypothèse que celle émise pour les maisons unifamiliales, vous aurez repéré et passé en revue 30 propriétés au lieu de 240.

Tout le monde est forcé d'admettre qu'il faut à la fois beaucoup plus de temps pour évaluer 240 maisons pour enfin fixer son choix et en acheter 24 individuellement, qu'il en faut pour faire la prospection de 30 multilogements et en acheter 3.

Donc, la première étape de votre stratégie d'investissement est de décider combien d'unités de logement vous désirez acheter et de quelle taille, afin d'être en mesure d'atteindre ce but.

LA DISPONIBILITÉ DES PROPRIÉTÉS INVENTORIÉES (INVENTAIRE)

La disponibilité des propriétés unifamiliales et des édifices multilogements variera considérablement d'une région à l'autre et également en fonction du cycle économique immobilier. L'offre et la demande, aussi bien que la proximité des centres métropolitains majeurs, sont déterminantes dans la disponibilité des propriétés inventoriées. Pour le bénéfice des investisseurs, qu'ils soient nouveaux ou dotés d'un peu d'expérience, le terme « inventaire » s'applique à l'immobilier aussi bien qu'à tout autre type de produits sur le marché. Toutefois, la quantité de maisons unifamiliales dépasse largement le nombre d'édifices multilogements.

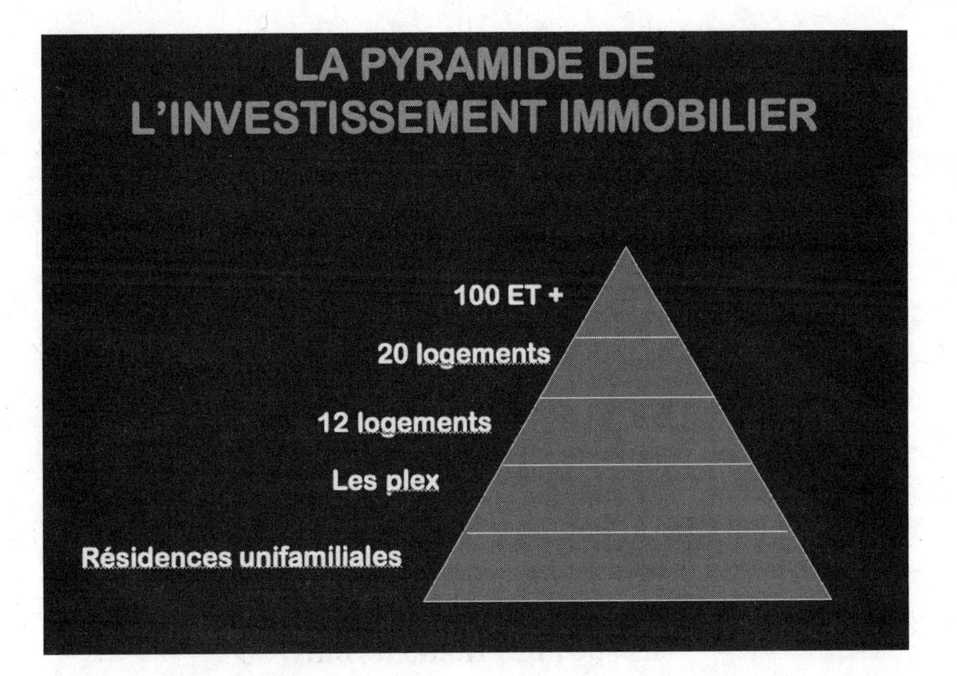

Cette pyramide nous démontre à quel point le nombre d'acheteurs pour les maisons unifamiliales est plus considérable que pour des duplex, des triplex, des quadruplex, des 12 logements, des 24, des 48 ou pour des 100 logements. Le haut de la pyramide représente le nombre d'acheteurs potentiels pour chaque catégorie d'immeubles.

VOS RESSOURCES FINANCIÈRES

Le total des ressources financières sur lesquelles vous pouvez compter sera certainement un facteur déterminant relativement à votre choix d'acquisition de maisons unifamiliales ou d'édifices multilogements. Les termes « ressources financières » veulent dire ici : l'argent disponible, le niveau d'emprunt souhaitable, les possibilités de crédit, l'état de votre crédit personnel, etc. En général, vous aurez besoin d'investir moins de capital pour un immeuble plus petit et moins onéreux. Par contre, ce n'est pas toujours le cas, car il existe plusieurs façons de structurer une transaction. Certains vendeurs peuvent être très flexibles sur les termes et conditions de la transaction. De plus, il peut parfois être avantageux de reprendre l'hypothèque existante et d'en acquitter le règlement. D'ailleurs, c'est vrai pour tous les genres de propriétés.

De nos jours, il est possible de financer jusqu'à 100 % d'une maison unifamiliale et jusqu'à 85 % pour un immeuble multilogement, mais certaines conditions doivent être respectées. D'autre part, chaque transaction est unique. Vous pouvez, par exemple, avec un montant de 20 000 $, acheter un immeuble à revenus de 200 000 $, si une somme d'argent comptant de 10 % du montant de l'achat est exigée.

Toutefois, si 20 % de comptant est requis, alors il est possible d'acheter une propriété valant 100 000 $. Notez bien ici que les ressources d'un investisseur immobilier ne sont pas seulement limitées au comptant disponible. D'autres actifs, tels que les capitaux sur d'autres immeubles, peuvent aussi être considérés en « collatéral[3] » sur des emprunts.

Nous traiterons du comptant requis plus en détail au cours des chapitres sur le financement et les mises de fonds.

LE COÛT DES TRANSACTIONS

Prenez bonne note que, pour chacune de vos transactions immobilières, des coûts supplémentaires et non négligeables y sont reliés. Ces coûts incluent les frais des prêteurs, du notaire, des évaluateurs, des inspecteurs de bâtiments, les tests de sol, les droits de mutation, les courtiers en financement, les certificats de localisation, les rapports d'ingénieurs, les frais de quittance, etc. Si l'on se reporte aux exemples mentionnés auparavant pour l'acquisition de 24 unités. Imaginez le temps, l'énergie et les dépenses générés par l'achat de 24 maisons unifamiliales, chacune ayant ses frais inhérents. Cela représente 24 demandes de prêt, 24 contrats notariés, 24 certificats de localisation, 24 rapports d'ingénieurs, en fait, 24 documents reliés aux 24 autres points mentionnés précédemment.

Reprenons l'analogie en comparant maintenant 3 achats qui totalisent 24 logements. D'ores et déjà, les transactions sont bien moindres en nombre, car on parle ici de 3 demandes de prêt seulement, de 3 contrats notariés, etc. Sur une transaction de plus grande importance, les spécialistes concernés peuvent vous proposer des prix plus avantageux pour leurs frais et honoraires.

---

3. Au sens de garant pour un emprunt.

Étant donné qu'ils sont intéressés à faire des affaires, ils seront probablement plus négociables. Une transaction pour une maison requiert autant de travail pour eux qu'un immeuble multilogement. Si vous avez déjà acheté un ou des immeubles, vous comprenez certainement de quoi il en retourne pour ce qui est de l'énergie et des déboursés nécessaires.

LE REGROUPEMENT DE VOS IMMEUBLES CONCENTRÉS DANS UN MÊME EMPLACEMENT

Si les immeubles que vous avez acquis sont regroupés dans un même secteur, vous pourrez alors utiliser votre temps plus efficacement. Une fois de plus, reprenons l'exemple des 24 logements. Si vous vivez dans une petite ville, il y a de fortes chances que vos immeubles soient rapprochés les uns des autres.

Cependant, si vous habitez dans une grande région métropolitaine et que vous ne vous préoccupez pas de cela avant de faire vos acquisitions de propriétés, vous achèterez probablement des immeubles répartis un peu partout dans la ville, simplement parce qu'ils représentent de bonnes transactions. Faites cela 2 ou 3 fois, et vous passerez un temps fou à serpenter la ville de long en large, souvent à travers un trafic intense, parfois dans toutes sortes de conditions météorologiques désagréables, et ce, à diverses heures de la journée.

Je me souviendrai toujours de mon arrivée dans la région de Montréal, j'habitais alors Boucherville, en banlieue. J'ai donc acheté un immeuble de 12 logements à Otterburn Park et un autre de 24 logements à Saint-Constant. Sur la carte routière, j'avais l'impression que ces deux municipalités étaient à proximité l'une de l'autre, mais lorsque j'ai dû faire le trajet aller retour, au début de chaque mois pour prélever l'argent des loyers, pour faire visiter les appartements en vue de les louer, pour effectuer certaines travaux de réparation et d'entretien, pas besoin de vous dire tout le temps que j'ai perdu en déplacements d'une ville à une autre. Orientez vos recherches sur un quartier précis de la ville et vous pourrez ainsi optimiser l'emploi de votre temps.

Évidemment, cela ne vous empêche pas de posséder des complexes immobiliers plus imposants dans divers secteurs de la région. Pour ce type d'immeubles, vous aurez très certainement des employés sur place ou une compagnie de gestion qui les administrera pour vous. Et à ce moment-là, vous ne vous déplacerez que pour 2 propriétés et non pour 24.

ADMINISTRATION ET MAIN-D'ŒUVRE

En vue d'optimiser le rendement de votre temps, le même principe s'applique quand il s'agit de la gestion et de l'entretien de vos immeubles. Si vous possédez un immeuble de 24 appartements, il y a de fortes chances que vous preniez l'entière responsabilité de l'administration et des travaux d'entretien légers. Par contre, si vous avez 50 logements à gérer, vous aurez besoin d'assistance pour vous aider à mener rondement votre entreprise immobilière, que ce soit un employé d'entretien à plein temps ou à temps partiel. Compte tenu de la taille de votre portefeuille immobilier, vous aurez besoin d'un adjoint en mesure de gérer et de s'occuper des menus travaux d'entretien.

Si vos appartements sont tous dans le même secteur, les tâches journalières seront aussi beaucoup plus simples pour vos employés. Les matériaux, l'équipement, les accessoires, bref tout ce qui leur sera nécessaire pour la maintenance de vos installations, tout cela pourrait être concentré en un même endroit.

CONSIDÉRATIONS FISCALES ET TENUE DES LIVRES

Au risque de me répéter, j'admets que la comptabilité est beaucoup plus simple à effectuer pour un immeuble de 24 logements que pour 24 maisons unifamiliales. Dans les deux cas, il est obligatoire d'avoir un état des revenus et dépenses à jour pour chaque immeuble que vous possédez quand vous produisez votre déclaration de revenus. Essayez d'imaginer la somme de travail et les tarifs exigés pour qu'un comptable prépare vos déclarations de revenus !!!

LA VENTE DE VOS IMMEUBLES

Peu importe qu'il s'agisse de maisons unifamiliales ou d'immeubles multilogements à vendre, il faut savoir peser le pour et le contre, car il y a des avantages et des désavantages de part et d'autre, au moment de la vente. Le grand avantage à vendre des maisons unifamiliales, c'est que vous êtes libre de vendre celles que vous désirez (soit une, deux ou trois parmi celles dont vous êtes propriétaire) et en fonction de vos besoins. Vous pourriez vendre celles qui ont pris le plus de valeur ou encore celles qui ont le plus d'« équité » et cela vous permettrait d'acheter 2 ou 3 nouvelles propriétés.

Par contre, si vous ne possédez qu'un immeuble de 24 logements, vous ne pouvez pas vendre les logements individuellement, vous devrez vendre la totalité de l'immeuble. Il va de soi qu'il est beaucoup plus facile de vendre une maison unifamiliale qu'un immeuble de 24 logements (reportez-vous au schéma de la pyramide, page 51, pour en juger). D'un autre côté, vendre des maisons une à la fois quand on en possède plusieurs, cela peut s'avérer beaucoup plus ardu que de vendre un seul édifice, mais encore une fois, il faut savoir analyser la situation au moment opportun. Il n'y a pas de modèle standard, tout dépend de vos capacités financières et des opportunités qui se seront présentées à vous.

Croyez-en mon expérience, alors que mon portefeuille immobilier était à son summum, je possédais 400 logements et 3 petits centres commerciaux. Et ma plus grande difficulté provenait du fait que ces 400 logements étaient répartis sur 39 immeubles différents. J'ai débuté comme investisseur immobilier sans grands moyens financiers. J'achetais de petits immeubles que je conservais. Je les finançais de nouveau pour en acheter d'autres de plus en plus gros, de sorte qu'au bout de 5 ans seulement, j'en étais propriétaire.

Après ces brèves explications, peut-être êtes-vous mieux en mesure de comprendre que si vous voulez posséder plusieurs logements, vous devrez tôt ou tard vous orienter vers l'achat d'immeubles multilogements.

LA TRANSITION ENTRE LA MAISON UNIFAMILIALE ET LE MULTILOGEMENT

Maintenant que vous êtes quelque peu convaincu des avantages du multilogement, vous devez vous demander comment arriver à en acquérir ? Comment faire la transition entre la maison unifamiliale et le multilogement ? Sauf si vous disposez déjà d'une somme d'argent substantielle avec laquelle vous pouvez travailler, vous voudrez probablement commencer par faire l'acquisition de petits immeubles multilogements, par exemple un immeuble de 8 ou 12 logements.

Vous souhaiterez peut-être auparavant faire une offre d'achat pour un immeuble plus modeste, voire un duplex ou un quadruplex.

Si votre expérience du secteur immobilier est restreinte, faire vos premières armes en achetant un immeuble plus petit vous permettra d'accumuler un peu plus d'expérience avant de vous en procurer de plus gros.

Voici différentes façons de faire la transition :

- vendre une ou quelques-unes de vos maisons et, avec le comptant généré, acheter un plus gros immeuble ;
- financer à nouveau les immeubles que vous possédez déjà ;
- acheter de petites unités de logements qui ne nécessitent que des réparations mineures et « cosmétiques »[4], mais qui augmentent la valeur de l'immeuble qui peut, à ce moment-là, être réhypothéqué ou vendu ;
- acheter avec des associés qui ont l'argent nécessaire ;
- former un groupe d'investisseurs.

L'EFFET DE LEVIER OU L'ADA

Si vous êtes de plus en plus familier avec le principe de l'ADA, c'est-à-dire l'argent des autres, votre objectif est de « contrôler » plus d'immeubles, tout en utilisant le moins possible votre propre argent : ce qui implique que vous devrez utiliser l'argent des autres. Cet argent peut venir de sources traditionnelles telles que les banques, ou il peut venir de membres de votre famille, d'amis, d'associés et du vendeur qui peut vous accorder une « balance de prix de vente »[5] garantie par une hypothèque de deuxième rang sur l'immeuble qu'il vous vend.

Peu importe la source choisie, l'important c'est que vous désirez utiliser votre argent le moins possible, pour la simple raison que votre « retour sur investissement[6] » est basé sur les revenus générés par rapport au comptant investi. Votre retour sur investissement, ou retour immédiat sur le comptant investi, est dérivé d'un simple ratio, calculé

---

4. Superficielles et en surface pour masquer.
5. Solde de prix de vente : Solde existant entre le prix demandé par le vendeur d'un bien immeuble et l'argent qu'un acheteur verse pour l'acquisition de ce bien et qui fait l'objet du crédit vendeur.
6. Rendement du capital investi ou rentabilité de l'investissement : Ratio financier qui est égal au quotient résultant de la division du bénéfice tiré d'un investissement par le capital investi.

comme étant le profit en argent qui reste après toutes les dépenses et les paiements hypothécaires, et divisé par le comptant investi.

Cet exemple élémentaire devrait vous aider à saisir:

Si vous payez comptant un immeuble de 100 000 $ et qu'une fois toutes les dépenses payées il vous reste 5 000 $ de revenu net, votre rendement est de 5 %. Toutefois, si vous achetez le même immeuble, mais en empruntant 80 000 $, donc avec une mise de fonds de 20 000 $ et en présumant que le revenu net est le même, soit 5 000 $, le rendement sera de 25 %. Donc, selon cette hypothèse, vous pourriez acheter 5 immeubles de 100 000 $, avec ce même 100 000 $ de départ, pour un total de 500 000 $. De toute évidence, cet exemple est très simple, mais il exprime bien le fonctionnement de l'effet de levier.

De tout ceci découle ce principe incontournable de l'enrichissement:

PLUS VOUS POSSÉDEZ D'ACTIFS
QUI « PRENNENT DE LA VALEUR » AU COURS DES ANNÉES,
PLUS VOUS VOUS ENRICHISSEZ.

Pour bien comprendre cet énoncé, si vous possédez 100 000 $ d'immeubles qui augmentent de 10 %, votre enrichissement sera de 10 000 $. Par contre, si vous en possédez pour 1 000 000 $ qui augmentent de 10 % au cours des années, vous venez de vous enrichir de 100 000 $.

AVOIR DES OBJECTIFS DÉFINIS CLAIREMENT

Le plus bel exemple que l'on puisse utiliser pour illustrer mon propos est celui d'un bateau sans gouvernail, en partance de la France, qui essaierait de traverser l'Atlantique en direction du port de New York. Il lui serait quasi impossible de se rendre à destination. Il aurait à affronter les courants marins, peut-être aussi certaines tempêtes, à contourner des icebergs ou d'autres bateaux et sans doute irait-il s'échouer quelque part, sans avoir atteint son but.

Il en est de même en affaires, si vous n'avez pas d'objectifs clairement définis, il y a de fortes chances que vous ratiez votre coup. Ces objectifs sont votre gouvernail qui vous permettra d'atteindre votre destination financière.

Ce que nous venons de vivre entre l'an 2000 et 2007 est exceptionnel. À peu près toutes les personnes qui ont acheté un immeuble au cours de cette période ont réussi à faire un profit. Mais attention, j'affirme ici que tout cela n'est que pure chance. Comme je le dis dans tous mes séminaires : « CE N'EST PAS CELA FAIRE DE L'IMMOBILIER ! »

C'est pourquoi je vous recommande de lire un ou plusieurs livres sur la fixation et l'atteinte des objectifs. Il en existe une multitude sur le marché qui sont tous aussi bien les uns que les autres. Je vous en suggère d'ailleurs quelques titres dans ma bibliographie, à la fin de ce livre.

MAÎTRISER VOS PEURS

Parler de maîtriser ses peurs ne semble peut-être pas approprié dans un livre sur l'investissement immobilier, mais si vous êtes débutant dans l'acquisition d'immeubles, je sais par expérience, et je l'ai de plus constaté lors de mes rendez-vous en consultation privée, que la peur est le facteur numéro un qui empêche les gens de progresser. Sans une bonne dose de confiance en vous-même et une maîtrise de vos peurs, il vous sera peut-être difficile d'aller de l'avant dans la poursuite de vos objectifs d'enrichissement.

C'est sans conteste par l'expérience que l'on développe au mieux la confiance en soi. Que se passe-t-il au fond lors de notre première transaction ? La peur de l'inconnu nous habite, nous sommes tiraillés par la peur de nous tromper et la peur de perdre notre argent nous fait perdre nos moyens. Alors, n'en soyez pas le moins du monde surpris : votre premier immeuble sera certainement le plus difficile à acheter. Pour le deuxième, vous aurez déjà acquis un peu plus d'aisance en raison de votre première expérience, si bien que pour les prochaines acquisitions, votre démarche devrait être beaucoup moins ardue.

C'est un phénomène on ne peut plus normal. Il va de soi qu'après la première transaction, surtout si tout s'est bien passé, on apprivoise peu à peu l'inconnu et on se dit que ce n'est pas si mal que cela. Croyez-en ma parole, plus vous acquerrez de l'expérience, plus votre confiance en vous-même augmentera et s'améliorera.

Si vous avez déjà acheté votre première maison, souvenez-vous dans quel état de nervosité vous étiez dès le départ ? Croyez-vous que l'achat d'un immeuble de 100 logements serait raisonnable comme première transaction ? La réponse est non pour 99,9 % de la population.

Cependant une chose est sûre, vous verrez qu'avec le temps, même des transactions de cette envergure vous deviendront naturelles, comme de faire vos emplettes à l'épicerie. En effet, je vous assure qu'il est aujourd'hui tout aussi facile pour moi d'acheter des immeubles que de la nourriture au supermarché. J'ai confiance en moi. J'ai acquis de l'expérience, des connaissances, de l'assurance et je n'ai plus peur. Mais attention, selon le principe de Peter: « Tout le monde atteint un jour son niveau d'incompétence. »

Approfondissez les divers aspects de votre personnalité, vos aptitudes à gérer le stress, votre capacité à contrôler vos émotions, vos réactions vis-à-vis de situations quelque peu frustrantes, et vous verrez que les points décrits dans ce chapitre devraient vous aider à établir votre stratégie d'investissement.

LES QUATRE SAISONS D'UN CYCLE DANS L'IMMOBILIER

L'HIVER EN IMMOBILIER

La plupart des investisseurs, et même les plus aguerris, entretiennent des pensées très négatives sur le secteur de l'immobilier en hiver. C'est la période où la valeur des immeubles baisse ou stagne. Les fondements de l'économie du marché sont alors tous pessimistes et l'avenir n'a rien d'encourageant. Malheureusement, on retrouve encore quelques régions de la province où le marché demeure inactif à longueur d'année ou presque, et qui sont en quelque sorte continuellement en hiver.

Passer aux actes, les mesures à prendre

Durant cet hiver en immobilier, qui peut durer parfois une bonne dizaine d'années dans certains secteurs, un investisseur astucieux devrait prendre le temps d'étudier le monde de l'immobilier, d'effectuer des recherches et d'acquérir des connaissances précieuses sur l'investissement immobilier. Il devrait chercher à analyser d'autres régions que la sienne, en quête de redécouvrir le printemps dans l'immobilier. S'il est avisé, cet investisseur travaillera pour se fixer et réaliser ses objectifs personnels. Il se préparera financièrement pour être prêt quand le marché se rétablira, car cela arrivera tôt ou tard.

La limite à ne pas franchir

Bien entendu, tout comme le fermier, l'investisseur attendra des signes annonciateurs de l'arrivée du printemps avant de planter ses graines. Dans cette optique, il achètera un immeuble pour « du long terme », et non un immeuble locatif en espérant que la valeur de l'immeuble augmente, à moins bien sûr qu'il ne perçoive des signes véritables que le printemps arrive dans son domaine.

LE PRINTEMPS DE L'IMMOBILIER

Lorsque la saison du printemps arrive sur le marché de l'immobilier, c'est l'indice qu'il faut commencer à acheter. En fait, en suivant les informations présentées dans ce livre, le printemps est la saison où vous devriez acheter le plus d'immeubles possible. C'est la semence du profit que vous récolterez au cours de l'automne immobilier. C'est la période du cycle où il faut agir, car il ne dure que quelques années. Je vous y recommanderai les meilleures semences à semer. Suivez bien ces étapes et assurez-vous ainsi de votre propre succès.

Passer aux actes, les mesures à prendre

Le printemps de l'immobilier venu, vous achèterez des immeubles qui correspondront à votre stratégie d'investissement et à vos objectifs. Ils s'ajouteront à votre portefeuille immobilier qui va croître de façon surprenante. Ne soyez pas sous pression quand vient le temps d'acheter, ne forcez rien, mais effectuez toujours vos vérifications avec diligence et complétez toutes vos analyses avec soin. Vous prendrez votre décision par la suite.

La limite à ne pas franchir

Durant cette saison, ne tombez pas dans le piège de la paralysie de l'analyse et ne vous laissez pas distraire par d'autres opportunités qui s'offrent à vous. Vous aurez amplement le temps de considérer d'autres occasions d'affaires alléchantes après la récolte. Si vous vous laissez distraire de votre « focus » ou de votre point de mire actuel par quoi que ce soit d'autre que le fait d'accroître votre portefeuille immobilier au cours du printemps, votre récolte de l'automne ne sera pas aussi fructueuse.

L'ÉTÉ DE L'IMMOBILIER

Après quelques années de printemps en immobilier, le marché commence à changer pour l'été. Cette phase est particulièrement excitante pour les investisseurs immobiliers. Vous commencerez à observer à quel point la valeur de vos immeubles augmente. Grâce aux connaissances acquises ici, si vous avez bien saisi, vous devriez avoir fait les bons choix d'immeubles.

Dans la même foulée, après avoir constaté que la valeur marchande de vos immeubles s'est accrue, vous constaterez que ce sont vos locataires (vos clients) qui ont payé vos versements hypothécaires. En d'autres mots, vous verrez qu'avec l'augmentation de la valeur de vos immeubles et la diminution de vos soldes hypothécaires, vos « équités » (la différence entre la valeur de vos immeubles moins les soldes hypothécaires) auront, elles aussi, augmenté considérablement.

Passer aux actes, les mesures à prendre

Durant cette saison, ou si vous voulez cette partie du cycle, différentes options se présentent à vous. Vous pouvez choisir de garder vos immeubles, de les administrer et les entretenir (peinture, entretien, etc.) pour qu'ils soient au maximum de leur valeur marchande. Vous allez maximiser le « surplus d'opération (cash-flow) ». Ils doivent être constamment en bon état optimal pour en obtenir le maximum, advenant le cas où vous voudriez vendre. Il vous sera aussi possible de les « refinancer » et d'aller chercher une partie de votre « équité » afin d'en acheter d'autres.

La limite à ne pas franchir

Durant cette partie du cycle, ne négligez pas vos immeubles sous prétexte que tout va bien. N'oubliez jamais que c'est avant tout une entreprise. Vous devez constamment la gérer adéquatement afin d'en obtenir le maximum. Au cours de l'été de l'immobilier, beaucoup d'investisseurs se laissent distraire de leur holding immobilier et cherchent à diversifier leurs activités professionnelles. Pourquoi ???

Veillez à tout prix à ce que cela ne vous arrive pas. Un des secrets du succès est justement de garder notre constance quand la méthode que nous avons adoptée fonctionne. « Après la pluie le beau temps », dit-on. Même si vous vivez une période creuse, le marché va repartir de plus belle, comme je le disais précédemment. Pourquoi vouloir changer ou chercher autre chose ?

L'AUTOMNE IMMOBILIER

C'est la partie du cycle où l'investissement immobilier devient très agréable. Durant cette saison, vous commencerez à récolter les fruits de vos semences et de votre travail acharné. Comment ? Soit en vendant vos immeubles l'un après l'autre ou en les finançant de nouveau.

Passer aux actes, les mesures à prendre

Durant l'automne en immobilier, vous allez utiliser un tout autre système en commençant à vendre certains de vos immeubles, en maximisant les profits et en minimisant l'impact fiscal, ou tout simplement en les refinançant. De cette façon, vous pourrez profiter de cet argent non imposable, car l'impôt n'est payable dans l'immobilier qu'au moment où l'on vend. Profitez de cet argent pour enfin vous gâter et jouir de tous ces beaux projets dont vous rêviez depuis si longtemps.

La limite à ne pas franchir

Durant cette dernière partie du cycle, vous devez porter une attention particulière à l'économie en général. Il faut savoir quand vendre. Si le marché est « vendeur » ou propice à la vente, c'est-à-dire qu'il y a beaucoup d'acheteurs sur le marché, alors pourquoi ne pas vendre et racheter de nouveau lors du cycle printanier ? Il faut vendre avant que les sommets ne soient atteints. Lorsque ces sommets arrivent et que les valeurs commencent à diminuer, on constate régulièrement que tout le monde veut vendre en même temps.

À ce moment-là, quand la valeur de tous les immeubles diminue, on se retrouve devant un marché d'acheteurs, car il y a plus de vendeurs que d'acheteurs. Ne soyez pas trop gourmand. Vendez quand c'est le temps, sinon attendez le prochain cycle. Personnellement, j'ai préféré garder mes immeubles et les refinancer, sauf si les quartiers dans lesquels ils se trouvaient amenaient un type de locataires que je préférais éviter. Dans ces conditions, je préférais vendre.

Si vous suivez ces cycles et prenez en considération les recommandations suggérées pour chacune des saisons du cycle immobilier, vous obtiendrez des résultats extraordinaires qui vont probablement dépasser tous vos objectifs initiaux.

J'attire également votre attention sur le fait que, même si l'on est au printemps de l'immobilier à Montréal, ce n'est pas nécessairement le même cycle saisonnier qui prévaut à Québec, au Saguenay ou ailleurs au Québec. Surveillez bien cela.

Investir dans l'immobilier, ce n'est pas pour l'argent lui-même, mais bien pour la liberté et le bien-être que cet argent peut vous procurer. C'est un moyen de parvenir à une fin. Ayez du plaisir en faisant de l'investissement immobilier, gardez votre « focus » et ne laissez personne détruire ou voler vos rêves. Vivez cette passion que j'ai vécue pour ma part toute ma vie durant. C'est tellement agréable.

4

CONNAISSANCES = POUVOIR DÉVELOPPER LES CONNAISSANCES DE SON MARCHÉ LOCAL

En investissement immobilier, comme dans n'importe quelle autre activité d'investissement ou de commerce, la connaissance est égale au pouvoir. Plus vous aurez de connaissances et de compétences dans votre sphère d'activité, plus vous aurez confiance en vous et moins vous aurez peur. En fait, vous serez libéré de vos peurs. Vous serez en situation de maîtrise, donc davantage en possession d'un certain pouvoir.

Dans l'immobilier, on n'en connaît jamais trop. N'hésitez pas à suivre des séminaires de formation dans ce domaine, qu'ils soient donnés par d'autres auteurs ou par moi-même. Lisez le plus de livres possible sur le sujet. Il y en a une multitude en anglais, mais malheureusement très peu en français. Devenez membre de clubs d'investisseurs immobiliers, tels que LE CLUB D'INVESTISSEURS IMMOBILIERS DU QUÉBEC INC., un organisme sans but lucratif, dont la vocation est de réunir une fois par mois des gens qui s'intéressent à l'immobilier. Si vous voulez avoir un aperçu du nôtre et des sujets traités reliés à l'investissement immobilier, naviguez sur www.clubimmobilier.qc.ca, ou encore devenez membre de CORPIQ, la Corporation des propriétaires immobiliers du Québec.

Soyez curieux et avides d'apprendre. Rencontrez des propriétaires d'immeubles, des agents d'immeubles, des évaluateurs agréés, des inspecteurs de bâtiments, des arpenteurs, des notaires, des compagnies de gestion d'immeubles, des avocats spécialisés dans les reprises bancaires, des entrepreneurs en construction, des banquiers, des prêteurs privés, les services d'urbanisme des municipalités, bref toute personne qui touche de près ou de loin au domaine de l'immobilier. Posez-leur des questions sur le marché, les secteurs, la situation de l'immobilier, le cycle économique, etc.

Plus vous aurez de connaissances de votre marché, moins vous perdrez votre temps dans la recherche d'immeubles ou de secteurs qui n'offrent pas de potentiel d'investissement. Votre temps est limité, alors il est très important de l'utiliser intelligemment et efficacement. Il ne faudrait surtout pas que vous achetiez une bonne propriété située dans un mauvais secteur ou l'inverse : une propriété sans réels attraits dans un secteur digne d'intérêt.

SÉLECTIONNER LA BONNE PROPRIÉTÉ

Quatre catégories de maisons :

- très dispendieuses ;
- dispendieuses ;
- modérément dispendieuses ;
- non dispendieuses.

Vous devriez concentrer vos recherches sur des maisons qui se situent d'abord dans la catégorie des non dispendieuses, en orientant progressivement vos prospections vers les modérément dispendieuses, puis les maisons plus onéreuses. Ces propriétés sont définies comme étant LE PAIN ET LE BEURRE, c'est-à-dire que vous pourrez jouir de votre bien immeuble en ne le payant pas trop cher et du fruit de sa vente, en revendant cette propriété avec profit. On en trouve beaucoup sur le marché et la demande est vaste.

Gardez à l'esprit que vous achèterez la plupart du temps dans l'intention de revendre. Alors, c'est dans ces catégories de maisons que vous retrouvez le plus gros marché d'acheteurs. **Souvenez-vous de la pyramide de l'immobilier.** Bien que les meilleures transactions se fassent à l'achat de propriétés de grand luxe – donc celles que l'on considère très dispendieuses ou dispendieuses –, beaucoup moins d'acheteurs se bousculent pour acquérir ce genre de résidences. D'ailleurs, ça dépend des périodes, mais j'ai pu observer par expérience que certaines maisons pour lesquelles le prix demandé était d'un million de dollars se sont vendues au bout du compte entre 300 000 $ à 400 000 $.

Il arrive que les propriétaires de ce genre de propriétés soient fréquemment acculés au pied du mur et forcés de vendre en raison des coûts de maintenance élevés qu'ils ne peuvent plus payer, des taux d'intérêts exorbitants, d'une perte d'emploi ou d'un changement de poste moins rémunérateur, d'un divorce, d'un décès ou pour d'autres motifs. Et comme ces maisons existent en grande quantité sur le marché, trouver un acheteur disposé à l'acheter à moindre prix n'est pas une tâche si difficile. Il en résulte malheureusement une perte pour le propriétaire en question, obligé de laisser aller sa maison à rabais.

Il faut savoir aussi que, plus une propriété compte d'unités, plus le prix par unité (que je définis en parlant de « la porte ») est bas. On retrouve des maisons unifamiliales à partir de 70 000 $, des duplex à 60 000 $ la porte (donc pour 120 000 $), des triplex à 55 000 $ la porte (prix total de 165 000 $), des quadruplex à 50 000 $ la porte (200 000 $) et des multiplex à 35 000 $ la porte (évidemment faites le total selon le nombre d'unités). Les prix varient en fonction de différents facteurs tels que la date de construction du bâtiment (l'âge), la municipalité où on le retrouve, le secteur de la ville, le genre de construction, l'état dans lequel il est, l'environnement, les conditions du marché immobilier à ce moment-là, etc.

En règle générale, plus le coût par unité est bas, plus il est facile de structurer un achat avec peu ou même sans comptant.

SÉLECTIONNER LE BON SECTEUR

Vous serez en mesure d'opter pour un secteur particulier dans lequel vous voudriez investir quand vous aurez acquis une connaissance générale suffisante du marché. La technique d'analyse suivante devrait vous aider à développer les connaissances nécessaires pour sélectionner judicieusement deux ou trois secteurs différents.

Si votre objectif est d'acheter plusieurs maisons par année en vue de préparer votre retraite, vous pourrez sûrement vous retirer dans 10 ans, seulement en achetant des maisons ou des immeubles à revenus concentrés dans un ou deux secteurs minutieusement sélectionnés.

Par exemple, si vous achetez 3 maisons par année durant 10 ans, vous serez propriétaire de 30 maisons que vous pourrez louer. Si vous revendez 15 de ces 30 maisons, vous pourrez utiliser une partie de ce profit pour réduire les hypothèques restantes des 15 autres et peut-être même les payer au complet. Vous aurez éventuellement 15 maisons libres d'hypothèque en votre possession. Dans 10 ans, ces 15 maisons généreront dans l'ensemble un revenu possible de 10 000 $ par mois ou plus, et votre avoir net devrait atteindre au-delà de 1 000 000 $. Et ce n'est pas rêver en couleur, je vous en assure. C'est un objectif très réaliste et plusieurs personnes l'atteignent, croyez-en mon expérience.

Afin de connaître rapidement le marché des secteurs choisis, entrez en contact avec toutes les organisations et les individus suivants afin d'obtenir les informations nécessaires :

- les agents d'immeubles ;
- les investisseurs immobiliers ;
- les chambres de commerce ;
- les employés des postes ;
- les évaluateurs agréés ;
- le bureau d'évaluation des villes concernées ;
- les employés des compagnies d'utilités[1] (Hydro-Québec, Bell, Gaz Métropolitain, etc.) ;
- les policiers ;
- les livreurs ;
- le Club d'investisseurs immobiliers du Québec (CIIQ) ;
- la CORPIQ ;
- les employés de banque et de caisses populaires ;
- les propriétaires de dépanneurs (ils connaissent bien les gens de leur secteur).

Toutes ces personnes ont un point en commun. D'une façon ou d'une autre, leurs affaires professionnelles sont reliées directement ou indirectement à l'immobilier et elles peuvent vous aider. Communiquez avec elles simplement en leur expliquant que vous êtes relativement nouveau dans l'investissement immobilier et posez-leur les questions suivantes :

1. Quelles sont vos observations relativement au marché immobilier de ce secteur ? Est-ce que les immeubles sont souvent mis en vente et si oui, se vendent-ils rapidement ?
2. Demeurez-vous dans ce secteur ? L'aimez-vous ?

---

1. Services annexes d'installations spécialisées qui servent à répondre aux besoins d'un projet précis.

3. Seriez-vous intéressé à investir dans le secteur si vous le pouviez ?
4. Quel genre de propriétés achèteriez-vous ?
5. Est-ce que ce secteur vous semble augmenter en valeur au fil des années ?
6. Pour être sûr que les informations fournies sont exactes, faites vos propres vérifications auprès d'autres personnes de la liste énumérée précédemment.

APPROFONDISSEZ VOS CONNAISSANCES DES SECTEURS SÉLECTIONNÉS

FAIRE DU « FARMING[2] »

Premièrement, procurez-vous une carte du ou des secteurs sélectionnés. L'idéal serait de pouvoir compter sur une carte du service d'urbanisme de la municipalité, mais une carte régulière ferait tout aussi bien l'affaire. Circulez dans les rues afin d'en apprendre le plus possible sur le secteur : les gens qui y habitent, le prix des maisons, le prix des immeubles à revenus, le taux de chômage, le nombre de bénéficiaires de l'aide sociale, la criminalité, les écoles, les services publics, etc. Cherchez à trouver à proximité de votre résidence. Il n'est pas recommandé de vous éloigner de plus de 10 kilomètres de chez vous.

Si vous êtes débutant dans le domaine, concentrez vos recherches sur des maisons unifamiliales, des duplex et des triplex. Si vous croyez que vous possédez suffisamment de connaissances en matière d'immobilier pour être à l'aise, vous pouvez rechercher des immeubles de plus grande taille.

Deuxièmement, effectuez une forme de sondage à propos du voisinage en questionnant les personnes qui y vivent et y travaillent. Les questions suivantes peuvent vous être utiles pour connaître rapidement un secteur en particulier. Vous pouvez les poser aux gens qui font des promenades, aux résidents qui travaillent sur leurs propriétés, aux employés et clients des dépanneurs ou supermarchés, et même

2. Parcourir les agglomérations rurales ou des secteurs particuliers en vue de trouver des propriétés à acquérir.

aux facteurs. Adaptez les questions en relation avec les personnes à qui vous les poserez.

1. J'ai l'intention d'acheter une propriété dans le secteur. Dites-moi, vivez-vous dans ce quartier, et ce, depuis combien de temps ? Êtes-vous locataire ou propriétaire ?
2. Y a-t-il beaucoup de logements ou de maisons à louer ?
3. Avez-vous une idée du prix des maisons ?
4. Connaissez-vous le prix de location des maisons ?
5. Qu'aimez-vous le plus du quartier ?
6. Qu'aimez-vous le moins ?
7. Si vous aviez à acheter une propriété pour la louer, achèteriez-vous dans ce secteur ? Pourquoi ?
8. Connaissez-vous des propriétés à vendre ou à louer ?

Vous serez surpris des informations que vous recueillerez simplement en posant des questions comme celles-là. Ne négligez pas cette phase de votre apprentissage. Elle est d'une extrême importance.

Informez-vous du genre d'appartements qui se louent le mieux : une chambre, deux chambres, trois chambres ?

BIEN CHOISIR LE GENRE D'IMMEUBLES COMME INVESTISSEMENT

Après avoir fixé vos objectifs d'investissement, il est primordial maintenant de décider du genre d'immeubles que vous voulez acheter. Si vous en achetez un, sans vous assurer au préalable de sa rentabilité, vous risquez de vous retrouver, selon l'expression familière, avec un éléphant blanc ou un alligator sur les bras (un alligator est une propriété dont le cash-flow négatif est considérable).

Il existe différentes sortes de propriétés en vente sur le marché. En sachant quelle propriété serait plus appropriée pour satisfaire vos critères préétablis, selon vos goûts et vos besoins, cela vous aidera à axer automatiquement vos efforts d'investissement sur les catégories les plus lucratives pour vous.

LES TERRAINS VACANTS

Vous pourriez opter également pour l'achat de terrains, car il y a souvent des possibilités de faire de bons profits. Toutefois, à moins qu'ils soient situés dans des secteurs très prisés et en grande demande, vous pourriez éprouver une certaine difficulté à les revendre en matière de temps. Et, quoi qu'on en pense, l'adage suivant demeure toujours vrai : « Le temps, c'est de l'argent ! »

De plus, il faut savoir qu'en achetant un terrain vacant, les quatre facteurs suivants entrent en ligne de compte :

- Il ne rapporte aucun revenu (en général) ;
- Il faut quand même en payer les taxes annuellement ;
- Dans certains cas, il requiert un minimum d'entretien (traitement d'herbe à poux, entre autres) ;
- L'achat d'un terrain vacant est non recommandable pour quelqu'un qui n'a pas de bons revenus et qui ne dispose que d'un peu d'argent à investir.

LES PROPRIÉTÉS À REVENUS OU IMMEUBLES LOCATIFS

Que vous soyez un investisseur débutant ou quelqu'un d'inexpérimenté dans le domaine, il est préférable que vous achetiez des propriétés à revenus, car justement ce sont des propriétés qui génèrent des revenus de location. Une grande variété d'immeubles font partie de cette catégorie et peuvent très bien correspondre à vos objectifs initiaux :

- les « édifices à appartements[3] » ;
- les « édifices à bureaux[4] » ;
- les entrepôts ;
- les anciens bureaux de poste ;
- les anciennes banques ;
- les « centres d'achats[5] » ;
- les hôtels et motels ;
- les restaurants ;

---

3. Immeubles d'appartements : Immeubles collectifs d'habitation divisés en appartements ayant une seule adresse et où sont offerts des services communs.
4. Immeubles de bureaux ou immeubles à usage de bureaux : Immeubles comportant des bureaux à usage professionnel et administratif.
5. Centres commerciaux : Groupe de magasins de détail, qui peut comprendre généralement un ou plusieurs magasins à grande surface et divers services (poste, banque, restaurants, etc.), occupant un ensemble de bâtiments donnant sur un parc de stationnement dans une zone urbaine ou à proximité.

- les magasins de détail ;
- les résidences pour personnes âgées ;
- les maisons unifamiliales ;
- les duplex et les triplex ;
- les parcs de maisons mobiles ;
- les anciennes stations-service ;
- etc.

Encore une fois, je vous mets en garde : examinez avec attention le type de propriétés que vous allez acheter. Certaines sont plus à risque que d'autres.

Si vous n'avez qu'un seul locataire, par exemple, et que ce dernier quitte sans laisser d'adresse, votre taux d'inoccupation sera de 100 %.

En ce qui me concerne, je préfère les édifices à appartements pour la simple raison que vous perdrez peut-être un locataire, mais certainement pas tous vos locataires en même temps. J'affectionne aussi les maisons unifamiliales, car elles plaisent aux familles qui souhaitent une location à long terme. En effet, en règle générale, ce sont les familles qui louent les maisons unifamiliales, car toute famille recherche la stabilité au bout du compte.

Les « édifices à revenus[6] » sont aussi assez faciles à acheter et même avec peu de comptant parce que les vendeurs d'édifices à revenus sont dans bien des cas flexibles, créatifs et ouverts à différentes propositions, plus précisément sur des soldes de prix de vente. Ils savent très bien qu'il y a peu de chances qu'un investisseur se présente avec tout le comptant nécessaire, telles que les institutions financières le demandent, soit en général 25 % de comptant. Imaginez, cela signifie qu'un achat d'un million de dollars requiert un comptant de 250 000 $. Plus un immeuble est gros, plus il est facile d'utiliser l'effet de levier.

Comme on le constate ici, les opportunités de faire de bons profits sont supérieures quand on devient propriétaire d'édifices à revenus. Supposons simplement que vous ayez 50 logements et que vous augmentiez les loyers de 10 $ par mois, cela vous donne 500 $ de plus par mois, soit 6 000 $ par année. C'est intéressant, n'est-ce pas ?

---

6. Immeubles de rapport ou immeubles locatifs : Immeubles dont la location procure des revenus à son propriétaire ».

LES DÉSAVANTAGES

Évidemment, il existe aussi des désavantages à ne pas négliger. Plus les immeubles sont gros, plus les risques financiers sont grands. Cela nécessite plus de gestion, le taux de rotation des locataires est plus élevé et on se retrouve avec plus de gens dont les mentalités sont différentes. Les coûts d'entretien sont également plus élevés.

Si vous achetiez par exemple un triplex et que vous choisissiez d'y habiter. Il ne faudrait pas tellement d'années avant qu'il soit payé et vous n'auriez plus à débourser pour y demeurer. Eh oui, l'un des logements serait occupé par vous, l'autre servirait à payer les taxes, et avec le troisième, vous acquitteriez les frais d'entretien. N'est-ce pas extraordinaire quand on y pense ?

Comme investisseur, vous devez acquérir une propriété tout en respectant votre zone de confort. Si votre objectif est de vous acheter une maison, c'est parfait. Si vous voulez acheter des immeubles à revenus, c'est parfait aussi. Vous devez orienter votre décision en fonction de vos objectifs personnels et être tout à fait à l'aise dans votre démarche.

UN JEU DE NOMBRES

Quand vous êtes en quête d'immeubles, c'est un peu comme si vous vous prêtiez à un jeu de nombres qui se traduit en quantité d'unités. Je m'explique. Pour pouvoir acquérir un immeuble ou une maison, vous allez entrer en contact avec un certain nombre de vendeurs. De ce nombre, vous en trouverez certainement qui seront prêts à vous vendre leur propriété, et ce, selon vos conditions. C'est logique. Plus vous rencontrerez de vendeurs, plus vous augmenterez vos chances de dénicher une aubaine et plus vous aurez de succès.

Souvenez-vous de ceci : si vous contactez 25 vendeurs, vous visiterez sur ce nombre probablement 5 immeubles, vous ferez 3 offres d'achat pour enfin en acheter un seul. C'est la loi de la moyenne qui joue ici.

Par conséquent, la persistance est la clé du succès en immobilier. Il se peut que vous évaluiez au-delà de 100 propriétés avant de trouver celle qui correspond à vos objectifs. Mais si vous persistez, vous la trouverez. Continuez à faire assidûment des appels téléphoniques, des visites de propriétés, et même si la plupart d'entre elles ne seront d'aucun intérêt pour vous, tôt ou tard vous trouverez celle qui vous convient. Souvenez-vous, le prochain appel sera peut-être le bon.

TRAVAILLER AVEC LES AGENTS D'IMMEUBLES

Tout comme pour les autres professions, il existe différents types d'agents d'immeubles. Certains sont spécialisés dans la location, d'autres dans les immeubles commerciaux, les maisons, les petits immeubles à revenus, dans les grands immeubles à revenus ou encore dans les commerces. Alors, vous devrez utiliser les services de ceux qui sont spécialisés pour le genre d'immeubles que vous recherchez.

Attention, les agents d'immeubles ne sont cependant pas tous ouverts au « financement créatif », ils cherchent avant tout à savoir si vous aurez assez d'argent pour régler leurs commissions. Ils vont toujours vous demander alors de combien d'argent vous disposez pour effectuer votre achat. Répondez-leur que vous en avez suffisamment.

Vous ne pouvez pas renoncer à leur expertise, car ils peuvent vous dresser une liste exhaustive de tous les immeubles à vendre et qui correspondent à vos critères. Ils sont à l'affût de toutes les possibilités du marché et ont accès à toutes les inscriptions des chambres immobilières et des vendeurs. C'est leur métier !

DEVRIEZ-VOUS DEVENIR AGENT D'IMMEUBLES ?

LES AVANTAGES :

1. Vous apprendriez beaucoup sur l'immobilier ;
2. Vous auriez accès directement au service S.I.A.[7] (service inter-agences). En anglais le sigle est MLS pour Multiple Listing Service ;
3. Vous pourriez recevoir des commissions lorsque vous achetez et vous vendez pour d'autres ou pour vous-même ;
4. La collaboration avec les autres agents d'immeubles est plus grande et plus amicale.

---

7. Service inter-agences : Service offert par les chambres immobilières, qui permet à un courtier immobilier de faire connaître à tous les autres courtiers et agents l'existence des contrats de courtage immobiliers qui lui sont confiés.

LES DÉSAVANTAGES :

1. Le temps et les frais pour suivre le cours d'agent d'immeubles ;
2. Selon la loi, vous devez divulguer que vous êtes agent d'immeubles lorsque vous faites des transactions pour vous-même ;
3. Vous êtes obligé d'utiliser les formulaires prescrits par la loi ; ce qui peut être une restriction lors de certaines transactions.

5

COMMENT DÉNICHER DES IMMEUBLES AU PRIX DE GROS

Nous examinerons, au cours de ce chapitre, d'importants concepts à prendre en considération avant le déploiement de votre campagne d'acquisitions. Vous devez d'abord déterminer une « niche de marché[1] » dans l'immobilier en analysant les facteurs clés et en tenant compte du genre de propriété que vous recherchez. Lorsque vous aurez défini exactement ce que vous cherchez, vous serez alors en mesure d'entreprendre le processus de recherche et d'identification des immeubles désirés.

S'ÉTABLIR UNE NICHE

Avant de commencer votre programme de recherche d'immeubles, vous devrez auparavant définir votre niche sur le marché. Pour ce faire, quatre facteurs cruciaux sont à considérer :

- les ressources dont vous disposez pour investir ;
- la taille de la propriété ;
- l'âge de la propriété ;
- la période pendant laquelle la propriété a été en votre possession.

Il va sans dire que chacun de ces facteurs peut jouer. Pour le moment, il importe de savoir que plus vous avez de capital pour investir au départ, plus vous êtes en mesure d'acheter de gros immeubles ou d'autres plus dispendieux. Pourtant, le fait que vous ayez un bon capital de départ ne veut pas nécessairement dire que vous devez acheter de gros immeubles. Pour mieux comprendre, examinons chacun de ces facteurs plus en détail.

---

1. Créneau commercial ou niche commerciale : Petit segment de marché d'un produit ou d'un service, qui répond aux attentes d'une certaine clientèle et qui n'est pas encore exploité ou l'est insuffisamment.

LES RESSOURCES DONT VOUS DISPOSEZ POUR INVESTIR

Il va sans dire que le montant d'argent dont vous disposez pour investir est un facteur clé dans le choix de votre niche. Plus vous avez de capital disponible, plus votre choix sera grand. En général, un ratio d'endettement de 75 % est la norme de base et ce que l'on appelle une hypothèque conventionnelle.

Si vous avez 100 000 $ à votre disposition, vous pourrez acheter un immeuble qui en vaut 400 000 $. Avec le même montant d'argent, vous pourriez acheter un immeuble de 1 000 000 $ et obtenir un ratio d'endettement de 90 %. Le capital dont vous disposez sera à la fois votre principale contrainte et le facteur déterminant de votre choix d'immeubles, que ce soit une maison unifamiliale ou un immeuble multifamilial.

Nous verrons plus loin, en utilisant l'effet de levier, toutes les possibilités qui pourront se présenter à vous si vous êtes le moindrement créatif.

LA TAILLE DE LA PROPRIÉTÉ

Bien que le nombre d'unités de logement que vous puissiez acquérir est en partie relié au capital dont vous disposez, il y a une grande variété de prix par unités disponibles sur le marché. Des immeubles moins récents pourront se vendre 40 000 $ par porte, alors que des immeubles plus récents seront vendus à 100 000 $ l'unité. Les régions, les villes, les quartiers, l'âge de la propriété sont autant de facteurs qui peuvent influencer le prix des immeubles.

L'ÂGE DE LA PROPRIÉTÉ

Étant donné qu'un immeuble, tout comme l'être humain, a sa propre durée de vie, plus un immeuble est âgé, plus il nécessite d'entretien, et plus son prix de vente en est affecté aussi. À l'inverse, un immeuble neuf ou récent aura tendance à requérir beaucoup moins de dépenses d'entretien et réparation, ce qui se reflète sur son prix d'achat.

LA PÉRIODE DE POSSESSION D'UN IMMEUBLE

Vous devrez apprendre très rapidement à classer vos immeubles en deux catégories :

1. les immeubles à revendre rapidement ;
2. les immeubles à garder à long terme.

Ceux que vous devez penser à revendre rapidement sont des immeubles d'un certain âge nécessitant ce que l'on peut qualifier de « lifting » (rafraîchissement) et d'un peu de « maquillage ». Ils sont trop coûteux à entretenir et si vous n'êtes pas bricoleur, vous devrez utiliser de la main-d'œuvre spécialisée et très onéreuse pour les conserver et leur redonner de l'éclat. Ce sont des immeubles que je classifie comme des immeubles spéculatifs

Ceux que je vous recommande de garder à long terme sont généralement plus récents et situés dans un quartier prisé où il y a une forte demande pour ce genre de logements. Ces immeubles sont votre château fort et vont croître normalement selon les cycles économiques. Ce sont des immeubles beaucoup moins accaparants, car il n'y a aucuns travaux majeurs à effectuer pour leur redonner de la valeur.

Tout au long de vos recherches, et ce, pour chaque immeuble analysé, vous devrez déterminer si c'est un immeuble à spéculer ou à conserver. Soyez sans inquiétude il y a beaucoup d'argent à faire dans les deux cas. Les « spéculatifs » fournissent des revenus à court terme alors que la valeur de ceux que vous gardez va augmenter avec le temps et vous procurer les 5 composantes d'un bon placement. Ce sont ces mêmes critères que nous avons examinés au début de ce livre.

Quand vous en êtes au point de décider si vous allez conserver ou vendre votre immeuble, l'impact fiscal est l'élément dont vous devez toujours tenir compte. La vente d'un immeuble peut être considérée, soit comme un gain en capital ou soit comme un profit d'entreprise. C'est pourquoi il est recommandé de vérifier auprès de votre comptable quelle incidence fiscale aura la vente de votre immeuble sur vos impôts.

Votre succès comme investisseur immobilier dépendra en grande partie de votre habileté et de votre persistance à transmettre à plus de gens possible que vous êtes à la recherche active d'immeubles.

Actuellement, il y a de fortes chances que votre situation est la suivante : vous travaillez plus ou moins 40 heures par semaine pour quelqu'un d'autre, à essayer de joindre les deux bouts. Vous n'avez probablement que quelques heures à consacrer à l'investissement immobilier. Alors, pour être efficace, vous devrez absolument utiliser ce temps de la façon la plus productive possible, tout comme un investisseur avisé et expérimenté le ferait.

Bien sûr, un investisseur avisé possède les connaissances, l'expérience et les outils nécessaires pour faire ce qu'il faut. Mais rassurez-vous, il vous est possible de performer autant que lui, de tirer votre épingle du jeu, et ce, même sans expérience. Les connaissances indispensables vous sont transmises grâce à ce livre et vous pourrez acquérir aussi facilement les outils dont vous avez besoin pour commencer.

L'une des étapes importantes et essentielles pour vous établir comme investisseur avisé, c'est l'apprentissage par l'éducation et les connaissances pour faire de l'investissement immobilier créatif. Révisez les notes que vous prendrez à la lecture de ce livre, aussi souvent que cela vous sera nécessaire afin d'être parfaitement à l'aise avec le matériel présenté, c'est-à-dire vos outils de référence

ACQUÉRIR LES OUTILS PRINCIPAUX

Pour pouvoir commencer vos activités d'investisseur, il vous faut pouvoir compter sur les outils de travail principaux. Si vous n'avez pas de pièce un peu en retrait des activités quotidiennes de la maison, en fait un endroit réservé qui deviendra votre bureau, je vous suggère d'avoir au moins une table de travail et un classeur pour y ranger tous vos documents, et vos dossiers de recherche et de possession d'immeubles.

De plus, il vous faudra éventuellement prévoir une deuxième ligne téléphonique afin d'en avoir toujours une de disponible pour vos affaires, sans avoir à attendre que vos enfants ou votre conjoint ou conjointe aient fini leurs communications téléphoniques. Comme vous allez le constater assez rapidement, le téléphone est un outil de travail majeur dans l'investissement immobilier. Un répondeur téléphonique est absolument obligatoire aussi. Un fax (télécopieur) vous sera également très utile, quoiqu'il ne vous soit pas absolument indispensable au début. On en trouve à très bon prix sur le marché actuellement. Une adresse de courrier électronique est aussi une forme de communication très efficace et très utile.

Dans votre exploration pour trouver une maison ou pour devenir un investisseur immobilier, recherchez trois catégories de vendeurs: des vendeurs flexibles, d'autres vendeurs qui peuvent devenir flexibles, et des vendeurs qui sont non flexibles, mais qui vous vendront tout de même leur propriété d'une façon traditionnelle pour eux, mais qui sera pourtant très créative pour vous.

Il est essentiel de repérer ces vendeurs flexibles le plus rapidement possible. En vous présentant comme un investisseur immobilier actif, les vendeurs flexibles viendront à vous. Les techniques qui suivent sont des manières de vous présenter, de vous faire connaître comme investisseur actif, et de vous attirer rapidement des vendeurs flexibles. Dans un laps de temps de 30 à 60 jours, si vous n'utilisiez que quelques-unes d'entre elles, vous devriez être en mesure d'établir qui sont les vendeurs flexibles.

DES CARTES D'AFFAIRES

Toutes les personnes établies à leur compte ont des «cartes d'affaires[2]». Elles informent les gens de vos activités professionnelles. Toutefois, très peu d'investisseurs immobiliers ont des cartes d'affaires. Pourtant, comme il en coûte un prix minime pour en faire imprimer une bonne quantité, personne ne devrait s'en passer. Concevez-les avec des textes très simples comme: JE SUIS UN INVESTISSEUR IMMOBILIER, J'ACHÈTE ET JE VENDS DES IMMEUBLES.

À l'aide de cartes de visite, vous créez l'image du professionnel que vous cherchez à refléter. Prenez soin de préciser sur vos cartes d'affaires: JE NE SUIS PAS UN AGENT D'IMMEUBLES, JE SUIS UN INVESTISSEUR PRIVÉ. Si vous ne mettez pas cette mention, les gens pourraient penser qu'ils auront à payer une commission à quelqu'un. N'hésitez pas à laisser vos cartes professionnelles un peu partout, dans des endroits appropriés où des gens seront susceptibles d'en prendre une. Donnez-en à tout le monde. En leur remettant, demandez aux gens s'ils ont des propriétés à vendre ou s'ils connaissent quelqu'un qui veut vendre sa propriété.

---

2. Cartes professionnelles ou cartes de visite: Petite carte rectangulaire sur laquelle sont imprimés certains renseignements d'ordre personnel et professionnel, et que l'on laisse ou distribue la plupart du temps dans l'exercice de son travail.

Présentez-la :

- à l'épicerie ;
- à la station-service ;
- chez le coiffeur ;
- chez le nettoyeur ;
- au restaurant ;
- au facteur ;
- aux collègues de travail ;
- aux banquiers ;
- aux avocats ;
- aux notaires ;
- aux médecins ;
- aux parents et amis ;
- aux gens avec qui vous êtes en contact ;
- affichez-les sur les babillards publics (au supermarché, à la pharmacie) ;
- dans le pare-brise des automobiles ;
- dans la boîte aux lettres des maisons à vendre directement par le propriétaire ;
- lors des « ventes de garage[3] » de votre voisinage.

DES ANNONCES DANS LES JOURNAUX LOCAUX

Préparer une petite annonce est une méthode très efficace, qui ne vous coûtera pas très cher, et qui vous attirera sûrement des vendeurs flexibles. Dans vos annonces, faites attention de ne pas donner l'impression d'une personne qui cherche à profiter de telle ou telle situation. En tout temps, vous devez donner l'image d'un professionnel.

Un exemple de texte serait :

INVESTISSEUR PRIVÉ,
J'ACHÈTE DES MAISONS
ET DES IMMEUBLES.

---

3. Vente-débarras : Mise en vente à prix réduits, par un particulier, sur sa propriété, d'objets dont il veut se défaire.

COMMENT TROUVER DES IMMEUBLES AU PRIX DE GROS

Voici quelques techniques :

ANNONCES CLASSÉES RÉDIGÉES PAR DES VENDEURS

Recherchez des annonces avec des mots-clés tels que :

- Dois vendre
- Vendeur motivé
- Transfert
- Divorce
- Succession
- Maladie
- Retraite
- À louer
- Décès
- À louer avec option d'achat
- Téléphone de l'extérieur
- Échange possible
- Plusieurs numéros de téléphone
- Aucun comptant
- Reprise bancaire
- Spécial bricoleur
- Financement disponible
- Liquidation
- Libre immédiatement

Tous ces termes vous indiquent que les vendeurs peuvent être flexibles dans leur prix, leurs conditions de vente, pour le comptant requis, pour des balances de prix de vente possibles, etc.

BUREAU D'ENREGISTREMENT DES PALAIS DE JUSTICE (BUREAU DE PUBLICITÉ DES DROITS RÉELS IMMOBILIERS)

Ces bureaux sont de véritables mines d'or. Dès qu'un propriétaire d'immeubles est en retard quant aux paiements d'hypothèque, le prêteur lui envoie un « avis légal[4] » de remettre ses paiements à jour, sans quoi il va demander l'autorisation à la cour de reprendre l'immeuble et de le mettre en vente.

- Surveillez les préavis d'exercices ;
- Surveillez les jugements de reprises.

4. Avis juridique : Opinion, conseil, renseignement, donnés à titre consultatif par un avocat ou un juriste, en réponse à une question particulière.

LES BANQUES

Les banques peuvent, elles aussi, être des vendeuses flexibles, principalement en ce qui a trait au prix de vente. Tout ce qu'elles veulent, c'est de récupérer leur argent et les frais de reprise engagés dans les procédures. Appelez au service des reprises de toutes les banques à charte et des caisses populaires. Elles ont toutes des reprises de finance, et ce, peu importe la situation économique des gens concernés.

LES AGENTS D'IMMEUBLES

Les agents d'immeubles sont une source inépuisable de référence. À un moment ou un autre, toutes les reprises bancaires sont remises entre les mains des agents d'immeubles pour être vendues. Il est faux de croire qu'une propriété se vend plus cher parce qu'elle est entre les mains d'un agent d'immeubles.

Très souvent, le propriétaire qui vend lui-même sa maison ou son immeuble, sans intermédiaire, demande un prix plus élevé que celui qu'un agent d'immeubles aurait fixé. L'agent d'immeubles est au courant des prix du marché et convainc le vendeur de mettre sa propriété en vente à un prix plus réaliste.

L'agent d'immeubles vous épargne beaucoup de temps. Il a tous les outils pour vous assister dans la recherche, la négociation, la présentation d'offre d'achat, le financement, l'analyse de rentabilité, etc.

LES CIRCULAIRES

Tout comme les cartes d'affaires, une circulaire distribuée dans des secteurs cibles peut s'avérer très efficace.

DES RÉFÉRENCES (*BIRD DOGS*)

Personnes qui vous donnent des informations sur des propriétés à vendre à de bonnes conditions. Ce sont en quelque sorte des agents de prospection pour vous.

LES VENTES AUX ENCHÈRES

De plus en plus d'entreprises de vente aux enchères d'immeubles commencent à prendre une part du marché. Attention à la surenchère au moment de la mise en vente.

PROMENADE EN AUTO DANS DES QUARTIERS DE VOTRE CHOIX

Surveillez les points suivants :

- les pancartes privées ;
- les immeubles négligés ou à l'abandon ;
- le gazon trop long.

LES AVIS PUBLICS (VENTE POUR TAXES)

Lorsque les taxes d'une propriété sont en retard d'un certain nombre d'années, la municipalité peut vendre l'immeuble pour les taxes. En règle générale, le créancier hypothécaire paiera les taxes et entreprendra les procédures de préavis d'exercice.

LES ASSOCIATIONS DE PROPRIÉTAIRES D'IMMEUBLES (CORPIQ)

Dans ces associations, les propriétaires d'immeubles se rencontrent régulièrement et sont au courant du marché dans lequel leurs immeubles se situent. Ils sont aussi informés des propriétaires qui veulent vendre leurs immeubles et, dans certains cas, de ceux qui veulent s'en débarrasser à tout prix. Il n'en tient qu'à vous à ce moment-là d'en découvrir les vraies raisons.

S.I.A.CA et SIX.CA

Ces lettres correspondent aux sites Internet des chambres immobilières du Canada. Ces sites étant accessibles à tout le monde, toutes les propriétés y sont listées, y compris les reprises.

D'AUTRES SOURCES D'IMMEUBLES

Les immeubles ou les propriétés à vendre peuvent venir d'autres sources diverses :

- lors d'un divorce ;
- d'un abandon de sa maison pour une résidence pour personnes âgées ou pour aller en maison de retraite ;
- de reprise des compagnies de finance ;
- de compagnies de prêts hypothécaires ;
- de prêteurs privés

- de « courtiers en hypothèques[5] » ;
- d'avocats ;
- de notaires ;
- d'associations de condominiums (copropriétés).

REPÉRER DES VENDEURS MOTIVÉS ET FLEXIBLES

Au fur et à mesure que vous progresserez dans la lecture de ce livre, votre succès à titre d'investisseur immobilier dépendra en grande partie de votre habileté à repérer des vendeurs motivés et flexibles. Dans tous les marchés, environ 80 à 85 % des gens ne démordent pas du prix ferme qu'ils désirent avoir pour leurs immeubles. Ce ne sont pas ces gens qui nous intéressent.

Ceux que nous recherchons, ce sont ces 15 à 20 % de vendeurs qui, pour diverses raisons, veulent vendre leurs propriétés et, dans certains cas, qui veulent s'en débarrasser. Ils sont ouverts à la négociation, soit du prix, soit des conditions, et dans bien des cas, des deux. Ce n'est pas parce que leurs immeubles sont des « citrons » qu'ils cherchent à les vendre à tout prix et qu'ils sont flexibles. C'est avant tout pour des raisons indépendantes de leur volonté qu'ils doivent les vendre.

Voici quelques situations pour lesquelles les gens veulent et doivent vendre :

- un divorce ;
- la maladie ;
- la retraite ;
- une succession ;
- une perte d'emploi ;
- des problèmes de gestion d'immeubles ;
- des insatisfactions émotionnelles ;
- une mutation ;
- un voisinage en perte de qualité ;
- des propriétaires à l'extérieur de la province ou du pays ;
- des problèmes de locataires.
- etc.

---

5. Courtier en prêts hypothécaires : Courtier spécialisé dans la négociation de prêts et de créances hypothécaires.

Les vendeurs flexibles ne sont pas des gens déprimés. Il arrive même que les propriétaires à l'aise financièrement sont des vendeurs motivés. À l'occasion, un vendeur non flexible peut le devenir. Il suffit de lui proposer, en cours de négociation par exemple, de lui offrir un prix un peu plus élevé en considération de termes plus favorables, tel un comptant plus bas.

Les investisseurs débutants ne sont pas au courant des émotions et des besoins qui motivent les vendeurs. De plus, ces mêmes émotions et besoins peuvent changer. Un vendeur qui n'est pas flexible aujourd'hui peut le devenir demain. Plus vous rencontrerez de vendeurs, plus les chances sont probables que vous en rencontriez un qui sera dans une phase où il deviendra flexible. Faites tout ce que vous pouvez pour vous présenter comme un investisseur sérieux et rencontrez le plus de gens possible.

Si un propriétaire devient un vendeur motivé à vendre en raison de problèmes de gestion, vous pourrez peut-être solutionner le ou les problèmes facilement par une gestion plus habile, qui sait ?

VOUS DEVEZ ACHETER AU BON PRIX POUR POUVOIR VENDRE AU BON PRIX

Êtes-vous capable d'imaginer votre réaction si vous appreniez que les fondations de votre maison se sont effondrées et que votre maison est totalement détruite ? De bonnes fondations adéquates sont les bases de toute construction immobilière. C'est aussi essentiel à tout plan d'investissement.

L'investissement immobilier peut produire une des trois situations suivantes :

1. Économiser de l'argent (grâce à l'amortissement ou à certains allégements fiscaux) ;
2. Vous faire faire de l'argent (en effectuant de bonnes transactions, par l'amélioration et par l'inflation, etc.) ;
3. Si vos bases (fondations) ne sont pas présentes, vous pourriez perdre de l'argent.

Si nous assistions à la conversation suivante dans un magasin de détail, nous applaudirions le propriétaire.

« Mais personne n'achète plus d'anchois de nos jours.

– Allez, vous n'avez qu'à en acheter une caisse pleine et vous obtiendrez ce prix réduit qui ne reviendra jamais plus.

– Peu m'importe le prix, personne n'en achète, alors je n'en veux pas non plus. »

Le vendeur quitte les lieux. Le propriétaire du magasin a gardé le contrôle de la situation. Il sait exactement ce qui se vend et ce qui ne se vend pas dans son établissement.

En quoi l'investissement devrait-il être différent ? Investir dans l'immobilier exige que nous connaissions l'issue avant même d'acheter. Sans quoi nous risquons de nous faire avoir et de ne pas faire les choses de la bonne façon ; ce qui risque fortement de compromettre notre succès.

Malheureusement, c'est ce qui se passe le plus souvent chez la majeure partie de la population. Que ce soit à la Bourse ou en immobilier, les gens ne prennent pas le temps d'acquérir les connaissances nécessaires. Ils sont davantage disposés à suivre les tendances, sans connaître réellement les domaines dans lesquels ils investissent.

C'est ce qui s'est passé lors du krach des hautes technologies, au début des années 90 en immobilier. Tout n'était basé que sur l'émotion, alors que l'émotion n'a vraiment pas sa place en investissement.

Comparons la vente d'un immeuble aux rebonds d'un ballon de basketball. Vous devez être à la bonne place afin d'obtenir un rebondissement offensif et de pouvoir atteindre le panier. En investissement immobilier, il y a plusieurs choses que vous pouvez faire et qui vous placeront dans une mauvaise situation :

1. Prendre une mauvaise décision ;
2. Laisser passer ;
3. Perdre le ballon.

La meilleure chose à faire en immobilier, comme au basketball, est d'éliminer les obstacles. Le fondement de cette idée est très simple :

DÉTOURNEZ-VOUS DES ENGAGEMENTS COÛTEUX

Grâce aux conseils suivants, vous éviterez de nombreux maux de tête.

ÉVITEZ LES PROMESSES QUE VOUS NE POUVEZ PAS TENIR

L'engagement le plus commun et le plus coûteux est de faire des promesses que l'on ne peut tenir. Ne croyez pas que vous devez acheter tout ce que vous voyez. Il y aura toujours de bonnes transactions, mais également de moins bonnes. Si un immeuble a un avenir incertain, ne l'achetez pas. L'erreur la plus courante (et qui peut se transformer en procédures de reprise) est de convenir de payer une somme additionnelle à une date ultérieure.

Ce n'est pas dramatique si votre source d'argent est sûre, mais si vous comptez sur une source de revenu à venir et non garantie, spécialement sur l'inflation ou basée sur le fait que l'institution financière vous accordera plus d'argent dans un an, alors vous terminerez peut-être avec des problèmes.

Un jour, j'ai déniché une maison à un prix réellement bas soit 30 000 $. Je donnais 1 000 $ de comptant et le reste en versement mensuels pour une période de 5 ans. À la toute dernière minute, le vendeur a reçu une offre du même montant mais comptant. J'étais persuadé que je devrais renoncer à cet achat. Je savais pourtant que cette maison valait en réalité 50 000 $, une fois rénovée, alors j'offris 35 000 $ au propriétaire et je lui proposai de les payer dans un an, mais sans dépôt initial. Il accepta mon offre qui était très alléchante. Je rendis la maison habitable et la louai par la suite.

Quand vint le temps de faire les rénovations et de la vendre pour payer l'ancien propriétaire, je n'avais pas l'argent nécessaire. Il entreprit des poursuites judiciaires afin de récupérer son argent. J'ai tout de même réussi à trouver l'argent, mais ce ne fut pas l'expérience la plus agréable de ma vie. En fait, lorsque je regarde en arrière, tout au long de ma carrière d'investisseur immobilier, toutes les mauvaises expériences que j'ai eues sont arrivées lorsque je me suis trouvé pris dans une situation qui était indépendante de ma volonté et que je ne parvenais pas à maîtriser.

DU COURT TERME PAR RAPPORT À DU LONG TERME

Pour la plupart des investisseurs, l'investissement immobilier est généralement effectué pour une longue durée. Si un investisseur emprunte à court terme et désire vendre à long terme, il sera mal pris.

Ou s'il investit l'argent de son fonds de roulement dans des projets à long terme, il sera à court d'argent très rapidement.

Si vous empruntez de l'argent afin d'améliorer l'état d'un immeuble, assurez-vous que sa valeur en sera améliorée et que l'échéance de ce prêt correspondra avec le refinancement ou la vente de l'immeuble en question. Il semble que ce soit souvent inévitable ou presque, mais quelque chose ne fonctionne pas tel que prévu. Des délais, des changements sur lesquels vous ne pouvez exercer aucun contrôle peuvent se produire.

Ceci peut sembler contradictoire comparativement à ce que j'ai pu mentionner auparavant ou à ce que d'autres auteurs affirment quant à l'ADA (l'argent des autres). Si vous démarrez dans l'investissement immobilier, soyez prudent. Gardez le contrôle. Ne faites pas de promesses que vous ne pouvez pas tenir ou évitez les situations que vous ne pouvez maîtriser.

6

COMMENT DÉTERMINER LA VALEUR D'UN IMMEUBLE

Ce chapitre est probablement le plus important du livre. La clé de votre succès à la fois comme investisseur immobilier, comme acheteur et vendeur d'immeubles, c'est de posséder une excellente compréhension de cette notion essentielle qu'est la valeur d'un immeuble. Connaître la valeur d'un bien le plus précisément possible est la base du processus de décision d'achat. Que ce soit à la Bourse, à l'achat de métaux précieux, d'entreprises ou d'immeubles, vous devez absolument comprendre comment établir un prix afin de pouvoir effectuer un investissement prudent et éclairé. Sans cet outil, vous êtes en position de faiblesse.

Ce chapitre est très mathématique et très technique. Prenez bien votre temps pour le lire et l'étudier, tout particulièrement la section technique du revenu et celle sur les ratios financiers. Si vous n'avez pas compris du premier coup, ne vous découragez pas et recommencez jusqu'à ce que vous saisissiez bien.

L'ÉVALUATION : COMBIEN UNE PROPRIÉTÉ VAUT-ELLE RÉELLEMENT ?

Au cours de ce chapitre, vous apprendrez comment déterminer si un immeuble vaut vraiment le prix demandé par le vendeur. Comment le saurez-vous ? Il vaut peut-être beaucoup moins, ou il peut tout simplement être sous-évalué et en valoir beaucoup plus. Vous devez absolument découvrir et bien comprendre la différence de valeur par vous-même et ne pas vous fier sur ce que l'agent d'immeubles et le vendeur vous disent.

J'ai vu des investisseurs inexpérimentés essayer de justifier la valeur du prix demandé d'un immeuble et qui se croyaient plus fins que les autres (ce qui m'est arrivé à mes débuts dans le monde des investissements immobiliers), en omettant volontairement certaines dépenses telles que l'entretien et les réparations, les frais d'administration, le pourcentage de loyers vacants de l'immeuble. Bref, ils optaient pour la politique de l'autruche en se cachant la tête dans le sable. La vérité est que les acheteurs ont de fortes chances d'avoir payé trop cher pour ces immeubles.

À l'opposé, lorsque vous deviendrez un vendeur, vous devrez être en mesure d'établir la valeur la plus précise possible de votre immeuble au moment de le mettre en vente. J'ai vu des vendeurs essayer de vendre des immeubles à des prix excessifs. J'ai aussi vu des immeubles inscrits à des prix nettement en dessous du prix du marché. Cela peut être un avantage lorsque vous êtes à la recherche d'aubaines, mais si vous êtes un vendeur, attention, vous perdrez peut-être beaucoup d'argent.

DEUX PRINCIPES DE BASE QUI M'ONT FAIT GAGNER 345 000 $

Permettez-moi de vous faire part d'une de mes expériences personnelles. Il y a quelques années, j'ai acheté un immeuble d'une certaine taille qui correspondait à tous mes critères d'investissement et m'offrait un potentiel de gain intéressant, à peu de frais. J'ai effectué certains travaux d'amélioration au cours des premiers six mois, de sorte que selon moi, la valeur de l'immeuble s'était améliorée de beaucoup. J'avais réussi à augmenter les loyers et, après environ 10 mois, l'immeuble était maintenant « stabilisé ». Tous les appartements étaient loués et il n'y avait à peu près aucune rotation de locataires.

Dans les circonstances, deux possibilités s'offraient donc à moi : de financer l'immeuble de nouveau afin d'aller chercher le maximum d'« équité » ou bien de le vendre. J'avais rencontré un agent d'immeubles qui me semblait assez compétent, avec qui j'avais déjà fait une transaction auparavant, et qui travaillait pour une firme de courtage bien connue. Il était un agent respecté et très actif qui connaissait bien le marché, du moins, c'est ce que je croyais.

Selon mon analyse personnelle de cet immeuble, je situais sa valeur entre 2 millions et 2 100 000 $. J'avais comme stratégie de le mettre en vente au prix de 2 500 000 $ avec un prix plancher de 1 900 000 $ ou 1 950 000 $. À ma grande surprise, cet agent d'immeubles me suggéra plutôt de l'inscrire au prix maximum de 1 800 000 $ et, qu'avec un peu de chances, je réussirais à obtenir environ 1 650 000 $.

Je dois admettre que j'étais en état de choc. C'était un agent en qui j'avais confiance et que je croyais compétent. Ce n'était absolument pas le prix que j'avais en tête. J'étais tiraillé, je me suis remis en question en me demandant comment j'avais pu me tromper à ce point ? En évaluant tout le temps, l'énergie et l'argent que j'avais mis dans ce projet, j'allais me retrouver avec un immeuble qui ne valait pas ce que je croyais et que j'avais payé trop cher.

Mais après quelques minutes de réflexion, je me suis dit : « *C'est impossible que je me sois trompé à ce point !* » Je décidai donc de demander une deuxième opinion, et pourquoi pas une troisième, à 2 autres agents très actifs sur le marché. Je leur ai faxé les données financières en prenant soin de ne pas leur dévoiler le résultat de ma propre analyse. Le premier agent me revint en l'évaluant entre 2 millions et 2 100 000 $, alors que le second est arrivé à une valeur estimée entre 2 millions et 2 200 000 $. Bingo ! Mon analyse était exacte et elle était désormais corroborée par deux autres agents.

La fin de cette histoire est que j'ai réussi à vendre l'immeuble au prix de 1 995 000 $ avec une évaluation commandée par l'acheteur qui fixait sa valeur à 2 150 000 $; ce qui validait ainsi ma propre évaluation.

DEUX TECHNIQUES QUI PEUVENT VOUS FAIRE ÉCONOMISER DES MILLIERS DE DOLLARS

1. Vous devez absolument être en mesure de déterminer la valeur d'un immeuble ;
2. Soyez très prudent dans le choix d'un agent avant de lui confier la vente d'un immeuble.

Dans cet exemple vécu, je vous ai démontré ces 2 principes cruciaux qui peuvent vous faire gagner des milliers de dollars. Si je m'étais fié seulement à l'opinion du premier agent, j'aurais vendu l'immeuble à 1 650 000 $. Son incompétence m'aurait coûté alors la jolie somme de 345 000 $. Intéressant, n'est-ce pas ! ! !

TROIS MÉTHODES D'ÉVALUATION

Il existe trois méthodes pour déterminer la valeur d'un immeuble :

1. la technique de parité ou de comparaison ;
2. la technique du coût de remplacement ;
3. la technique du revenu.

Chacune de ces méthodes a sa raison d'être et elles sont utilisées par les évaluateurs agréés. Selon le type de propriété à évaluer, l'accent peut être mis sur une technique plutôt qu'une autre.

LA TECHNIQUE DES COMPARABLES

L'analyse de transactions comparables examine les ventes les plus récentes possible d'immeubles comparables relativement à leur taille, le nombre de logements, le genre de construction, la superficie de ses unités, etc. S'il le faut, des ajustements sont faits afin de les ramener à des bases comparables.

Cette technique est très utile pour l'évaluation de maisons unifamiliales allant de 1 à 3 unités. Tout cela est très simple à comprendre. Si vous vous promenez dans des quartiers d'habitation, les maisons se ressemblent beaucoup parce qu'elles ont été construites à peu près à la même période et selon les même plans. Donc, lorsqu'elles se vendent, une base de comparaison s'établit et elle permet aux évaluateurs agréés d'arriver, avec certains correctifs, à une valeur marchande.

L'utilisation des comparables est un facteur considéré lors de l'analyse de la valeur d'un multilogement ; cependant, on accorde aussi une importance spéciale à la technique du revenu. En fait, les revenus nets générés par un immeuble en déterminent sa valeur. À partir du fait qu'on estime qu'une propriété à revenus est une petite entreprise, et que la valeur d'une entreprise est évaluée en fonction des revenus nets qu'elle génère, il en est de même pour un immeuble locatif.

TABLEAU DE VENTES COMPARABLES

Pour retrouver ces données sous forme de tableau, consultez le site www.clubimmobilier.qc.ca

TECHNIQUE DE PARITÉ

Données comparables

Prenez une feuille de papier et faites-vous des colonnes pour pouvoir comparer les 4 propriétés ou plus que vous souhaitez acquérir. Pour chacune d'elles, veuillez indiquer les données suivantes :

- n° civique ;
- rue ;
- municipalité ;
- date de vente ;
- prix de vente ;
- évaluation municipale ;
- superficie du terrain ;
- superficie du bâtiment ;
- âge du bâtiment ;
- nombre de logements/pces/ sal. bains ;
- sous-sol ;
- services publics ;
- garage ;
- extras ;
- prix de vente au pi^2.

Ajustements

Si dans votre tableau de comparaison des propriétés, certains ajustements doivent être faits pour les ramener à des bases comparables, évaluez-les sur cette même feuille de papier. Par exemple, il y a une différence entre un garage double ou un garage simple, il faut faire l'ajustement en tenant compte de cette donnée.

- temps ;
- situation ;
- condition/âge/rénovation ;
- superficie du terrain/localisation ;
- superficie du bâtiment ;
- prix de vente ajusté au pi^2 ;
- garage ;
- extras ;
- détaché/jumelé/en rangée ;
- prix de vente ajusté ;
- finition du sous-sol.

Faites des remarques, s'il y a lieu.

LA TECHNIQUE DU COÛT DE REMPLACEMENT

Cette technique consiste à déterminer le coût de reconstruction au moment de la date d'évaluation. De ce coût de construction, on soustrait un montant de désuétude, d'usure normale de l'immeuble au cours des années. Le coût de reconstruction, moins la désuétude qu'on lui attribue, donne la valeur actuelle de l'immeuble.

Les tableaux de désuétude ne sont pas disponibles pour le commun des mortels et seuls les évaluateurs agréés les utilisent. Ils ne sont d'ailleurs pas faciles à utiliser et nécessitent une formation spécialisée que seuls les évaluateurs agréés ont reçue.

Petit conseil, ne vous aventurez pas à vouloir développer cette technique. Vous risqueriez de vous y perdre et de faire des erreurs.

LA TECHNIQUE DU REVENU

Cette technique consiste à donner une valeur économique à un immeuble, à partir des données financières qu'il génère, et plus particulièrement selon le « revenu net d'opération (RNO)[1] » qu'il engendre.

Afin de comprendre cette technique, il est important de bien saisir chacune de ses composantes. Pour commencer, nous allons détailler et décrire les termes utilisés.

REVENUS BRUTS (RB) = Revenus totaux générés par les loyers.

Ex.: 12 logements loués à 600 $ par mois, le tout multiplié par 12 mois

(12 x 600 $) x 12

7 200 $ x 12 = 86 400 $ de revenus bruts

« VACANCE (VAC)[2] » = montant en argent de loyers non perçus parce qu'ils ne sont pas loués

REVENUS BRUTS EFFECTIFS (RBE) = REVENUS BRUTS MOINS LA VACANCE

---

1. Revenu net d'exploitation (RNE), revenu net avant recouvrement ou amortissement: Revenu net annuel après acquittement de tous les frais d'exploitation mais avant déduction des charges financières telles que le recouvrement du capital ou le service de la dette; correspond au dividende annuel.
2. Taux d'inoccupation.

« DÉPENSES D'OPÉRATION (DO)[3] = Toutes les dépenses occasionnées par l'opération d'un immeuble à revenus telles que :

- les taxes municipales ;
- les taxes scolaires ;
- les assurances ;
- l'électricité ;
- le chauffage ;
- l'entretien et les réparations ;
- le déneigement ;
- la pelouse ;
- la comptabilité ;
- les « frais légaux[4] » ;
- le concierge ;
- etc.

Toutes ces dépenses additionnées totalisent nos dépenses d'opération.

REVENU NET D'OPÉRATION (RNO) =

REVENU BRUT EFFECTIF MOINS LES DÉPENSES D'OPÉRATION

Pour continuer l'exemple avec les chiffres ci-dessus :

Revenus bruts :	86 400 $
Vacances (5 %)	4 320 $
Revenu brut effectif	82 080 $
Dépenses d'opération	24 624 $
Revenu net d'opération	57 456 $

À cette étape-ci, il est très important d'avoir le plus de précision possible quant aux revenus et aux dépenses d'opération, car la valeur de l'immeuble est déterminée par l'exactitude de ces chiffres. Une

3. Frais d'exploitation, frais de fonctionnement ou de gestion.
4. Frais juridiques, frais d'actes ou honoraires d'avocats : Honoraires versés à un « juriste » pour obtenir l'interprétation des textes de lois (frais juridiques), pou rédiger ou enregistrer des actes (frais d'actes), ou en rémunération d'autres services.

simple variation du revenu net d'opération de 1 000 $ peut faire varier la valeur de 10 000 $ si nous utilisons un taux de capitalisation de 10 %.

Qu'est-ce que le taux de capitalisation ? Afin de vous aider à comprendre sans vous perdre dans des définitions théoriques, prenons un exemple très simple. Supposons que le taux d'intérêt que les banques vous donneraient sur un certificat de dépôt serait de 5 % et que vous en receviez 10 000 $ en intérêts chaque année. Combien d'argent devriez-vous investir dans votre certificat de dépôt ?

La réponse :

$$\text{Valeur actuelle} = \frac{\text{Revenu}}{\text{Taux}} = \frac{10\,000}{5\,\%}\,\$ = 200\,000\,\$$$

En résumé, il faudrait une somme de 200 000 $ à un taux de 5 % pour obtenir un montant d'intérêt de 10 000 $.

Si l'on transpose ce principe dans l'exemple immobilier précédent en utilisant un taux d'intérêt de 10 %, nous aurions les résultats suivants :

$$\text{Valeur de l'immeuble} = \frac{\text{RNO}}{\text{Taux}} = \frac{57\,456}{10\,\%}\,\$ = 574\,560\,\$$$

En termes immobiliers, le taux d'intérêt utilisé dans cet exemple devient le taux de capitalisation ou le taux global d'actualisation.

Donc, si un immeuble génère un revenu net d'opération de 57 456 $, et que l'on utilise un taux de capitalisation de 10 %, il aurait une valeur économique de 574 560 $, ou il vaudrait cette somme sur le marché.

Afin de mieux comprendre, effectuons cet exercice avec différents taux de capitalisation :

$$\text{Valeur avec un taux de 8 \%} : \frac{\text{RNO}}{\text{Taux}} = \frac{57\,456}{8\%}\,\$ = 718\,200\,\$$$

$$\text{Valeur avec un taux de 12 \%} = \frac{\text{RNO}}{\text{Taux}} = \frac{57\,456}{12\,\%}\,\$ = 478\,000\,\$$$

En résumé :

- avec un taux de 8 %, l'immeuble vaudrait 718 200 $;
- avec un taux de 10 %, le même immeuble vaudrait 574 560 $;
- alors qu'avec un taux de 12 %, nous arrivons à 478 000 $.

Comme vous pouvez le constater, une simple variation du taux de capitalisation a une influence très marquée sur la valeur d'une propriété. Il en va de même avec le RNO. D'où l'importance d'estimer les dépenses d'opération le plus précisément possible, et tout particulièrement le poste de l'entretien et des réparations, qui semble de toute évidence sous-estimé par les propriétaires vendeurs.

Le taux de capitalisation peut aussi être utilisé dans l'estimation de croissance de la valeur future d'un immeuble, soit par une augmentation des revenus d'un immeuble, par une diminution des dépenses ou des deux. Si vous réussissez par exemple à augmenter les revenus d'un immeuble de 10 000 $ par an et que vous parvenez à en diminuer les dépenses d'opération de 1 000 $, votre RNO augmentera de 11 000 $. En utilisant un taux de capitalisation de 10 %, la valeur de votre immeuble augmentera de 110 000 $. Comment en arrivons-nous à ce chiffre, souvenez-vous des calculs précédents que nous venons d'exécuter avec la technique du revenu :

$$\frac{\text{RNO}}{\text{TAUX}} = \frac{11\,000\,\$}{10\,\%} = 110\,000\,\$$$

Cette manière de calculer s'exécute de la même façon, que ce soit pour des certificats de dépôt, des actions en Bourse ou des immeubles. De toute évidence, moins un placement est risqué, moins le taux d'intérêt est élevé. Un certificat de dépôt garanti par la banque ne comporte aucun risque, donc l'on doit s'attendre à obtenir un taux d'intérêt plus bas.

À titre d'investisseur immobilier, cependant, vous allez exiger un rendement supérieur afin de compenser le risque accru, comparativement à un certificat de placement garanti (CPG). Si investir dans un immeuble vous rapportait 5 %, soit le même rendement qu'un CPG, sans hésitation vous choisiriez le CPG car il est sans risque, garanti par la banque, et il ne requiert aucune implication dans la gestion. L'investissement immobilier est un placement actif et non passif, comme l'est un CPG. Vous devez en retirer un rendement supplémentaire afin de compenser le risque additionnel, votre temps et l'énergie nécessaires pour posséder un immeuble à revenus.

En résumé, chacune des trois méthodes d'évaluation utilise une approche différente afin d'en arriver à préciser une valeur. Dans une évaluation conventionnelle, les trois méthodes sont utilisées en mettant l'accent sur une des trois, en fonction du type d'immeubles à évaluer et de l'utilisation que l'on veut en faire. L'évaluateur essaiera de faire un regroupement des trois techniques afin d'en arriver à une valeur la plus juste possible. Les techniques les plus utiles, dans le cas d'immeubles à revenus, sont la technique du revenu et celle des comparables.

Poursuivons maintenant avec d'autres composantes de l'analyse financière d'un immeuble.

LE « FICHIER DE LOCATION (*RENT ROLL*)[5] »

Ce document nous fournit des informations essentielles à titre d'investisseur éventuel :

- le numéro de l'appartement ;
- le nom du ou des locataires ;
- le genre d'appartement (une, deux ou trois chambres, etc.) ;
- le montant du loyer ;
- le montant reçu ;
- les autres revenus ;
- la date que le loyer a été payé ;
- une section de commentaires (date d'arrivée, avis de retard, etc.).

Le vendeur devrait être en mesure de vous fournir un « fichier de location » pour chaque mois demandé, mais attention, les petits propriétaires ont des méthodes bien à eux de compiler leur registre de loyers. S'ils ne peuvent vous le fournir, demandez une copie des baux, des livrets de dépôt et même des états de banque afin de pouvoir corroborer ces informations.

Analysez attentivement ces documents, ils devraient vous dévoiler beaucoup d'informations à propos des locataires telles que : leur stabilité, le taux d'occupation, le taux d'inoccupation, le taux de rotation des locataires.

La stabilité des locataires est de loin l'un des critères qu'il est préférable d'obtenir. Imaginez la situation, si vous aviez 100 logements et que tous vos locataires s'en allaient, vous auriez à faire visiter tous

5. Registre des loyers, fichier des loyers, grand livre des loyers : Registre des loyers à recevoir tenu par le propriétaire d'un immeuble de rapport ou immeuble locatif.

les logements, faire 100 enquêtes de solvabilité, signer 100 nouveaux baux, et probablement à faire peinturer les 100 logements à peu près en même temps.

Heureusement, en 25 ans de carrière, je n'ai jamais vécu une telle situation et personne que je connais non plus ne s'est heurté à de telles circonstances. Mais cet exemple extrême vous démontre bien qu'un minimum de stabilité des locataires est de toute première importance.

Le taux de rotation est calculé comme suit :

À titre d'exemple, si 10 logements se libèrent sur un total de 100 logements, cela donne un taux de rotation de 10 %.

$$\frac{\text{Nombre de déménagements}}{\text{Nombre de logements}} = \frac{10}{100} = 10\,\%$$

LES RATIOS D'ANALYSE À COMPRENDRE

Un ratio est une simple équation mathématique utilisée pour exprimer une relation entre des chiffres. L'utilisation des ratios lors de l'analyse de multilogements est essentielle afin d'analyser et bien comprendre sa valeur. Les ratios vous fournissent une unité de mesure ou une analyse rapide vous permettant ainsi de déterminer rapidement si un immeuble en vaut la peine ou non, comparativement aux comparables qui existent sur le marché.

LE MULTIPLICATEUR DU REVENU BRUT (MRB)

Ce ratio est mieux connu sous l'appellation de « nombre de fois les revenus »

Il se calcule comme suit :

Prix demandé / total des loyers bruts

325 000 $ / 35 000 $ = 9,29 fois les revenus

Attention à ce ratio, il est le moins précis de tous, car il ne tient aucunement compte des dépenses d'opération. En ce qui me concerne, il ne me sert que d'indice rapide m'informant si je dois m'y attarder et approfondir mon analyse.

LE MULTIPLICATEUR DU REVENU NET (MRN)

Ce ratio est mieux connu sous l'appellation « nombre de fois le revenu net »

Il se calcule comme suit :

Prix demandé / revenu net d'opération = nombre de fois le revenu net

325 000 $ / 25 000 $ = 13 fois le RNO

Sans le savoir, lorsque nous employons cette méthode, nous utilisons le calcul du taux de capitalisation que nous avons déjà vu précédemment et que nous analyserons en détail plus loin dans ce chapitre.

LE RATIO DES DÉPENSES

On l'obtient en divisant les dépenses d'opération totales (avant les dépenses de financement) par le revenu brut effectif (RBE).

Dépenses d'opération / revenu brut effectif

10 000 $ / 35 000 $ = 29 %

Ceci nous indique le pourcentage des dépenses d'opération par rapport aux revenus générés par l'immeuble.

Ce ratio est très utile afin de comparer les dépenses d'un immeuble par rapport à d'autres immeubles comparables sur le marché. Il nous permet de voir rapidement si les dépenses sont trop basses, égales ou trop hautes, comparativement au marché.

Les cinq ratios suivants sont requis dans toutes les analyses de rentabilité d'un immeuble :

- le ratio du taux de capitalisation ;
- le ratio du retour comptant sur investissement ;
- le ratio du retour total sur son investissement ;
- Le ratio du retour total avec plus-value ;
- Le ratio de couverture de la dette.

Chacun d'entre eux joue un rôle essentiel en vous aidant à déterminer si l'immeuble que vous évaluez correspond vos objectifs d'investissement.

LE RATIO DU TAUX DE CAPITALISATION

À l'inverse du MRN, ce dernier se calcule en utilisant le RNO divisé par le prix demandé.

$$\text{TAUX DE CAPITALISATION} = \frac{\text{RNO}}{\text{PRIX DEMANDÉ}}$$

Comme vous le voyez, ce ratio est réellement un simple calcul utilisé pour mesurer la relation entre les revenus nets générés par un immeuble et le prix demandé ou vendu. Pour vous aider à mieux comprendre, reportons-nous à l'exemple des certificats de placement garanti que nous avons utilisé auparavant. Nous avons vu que la valeur d'un CPG était calculé en fonction de son rendement ou, si vous aimez mieux, de son taux d'intérêt. Le taux de capitalisation mesure exactement la même relation.

$$\text{Valeur d'un placement} = \frac{\text{revenu}}{\text{taux}} = \frac{10\,000\,\$}{5\,\%} = 200\,000\,\$$$

Ou regardons les mêmes chiffres d'une autre façon :

$$\text{Taux} = \frac{\text{revenu}}{\text{valeur}} = \frac{10\,000\,\$}{200\,000\,\$} = 0{,}05 = 5\,\%$$

L'achat d'un immeuble à revenus est tout à fait relié à cette équation et n'est en rien différent des calculs de rendement ou de valeur d'un certificat de dépôt. Vous savez que les taux offerts par les banques peuvent varier un peu, alors vous magasinez et négociez afin d'obtenir le meilleur taux possible. Le taux de capitalisation peut varier, lui aussi, en fonction de la région, de la ville, de la catégorie d'immeubles, etc.

Voici un autre exemple pour vous aider à mieux comprendre. Nous savons que le RNO est dérivé de la soustraction des dépenses d'opération du revenu brut effectif. Si vous aviez à payer comptant l'achat d'un immeuble à revenus, le RNO représente la portion des revenus qui vous appartiendrait (avant impôts et améliorations), ou le rendement sur votre argent. Si vous envisagez l'achat d'un immeuble dont le rendement ou le RNO est de 50 000 $ et que le propriétaire en demande 800 000 $, devriez-vous l'acheter ? Effectuons les calculs appropriés :

$$\text{Taux de capitalisation} = \frac{\text{RNO}}{\text{Prix}} = \frac{50\,000\,\$}{800\,000\,\$} = 0{,}0626 \text{ ou } 6{,}25\,\%$$

Dans cet exemple, vous pouvez voir que le prix demandé est de

800 000 $, ce qui nous donnerait un rendement de 6,25 %. Supposons que les comparables dans ce marché particulier soient de 10 %. Avec un simple jeu ou variation de la même formule, nous pouvons arriver au prix des comparables :

$$\text{Si le taux de capitalisation} = \frac{\text{RNO}}{\text{Prix}}$$

$$\text{Le prix} = \frac{\text{RNO}}{\text{Taux de cap.}} = \frac{50\,000\,\$}{10\,\%} = 500\,000\,\$$$

Donc, par cet exemple, compte tenu du peu d'informations dont nous disposons, nous constatons que le prix demandé est trop élevé de 300 000 $. Bien comprendre cette simple équation est fondamental dans le processus de détermination de la valeur d'un immeuble à revenus. En la comprenant bien, vous serez en mesure de déterminer si le prix demandé est raisonnable ou non.

LE RATIO DU RETOUR COMPTANT SUR L'INVESTISSEMENT

Ce ratio est mieux connu comme étant le retour sur l'argent comptant[6] (*cash return*). C'est le ratio du comptant disponible après le service de la dette :

$$\text{Ratio du comptant} = \frac{\text{comptant disponible après le service de la dette}}{\text{comptant investi}}$$

Il vous permet de calculer en pourcentage le taux de rendement sur le comptant investi dans l'achat d'un immeuble.

LE RATIO DU RENDEMENT TOTAL

Ce ratio est presque identique à celui qui précède sauf qu'en plus du comptant disponible on y ajoute le montant de réduction du prêt. Il y a une partie de ce ratio qui n'est pas disponible immédiatement mais qui existe tout de même.

$$\text{Ratio du rendement total} = \frac{\text{comptant disponible + réduction du prêt}}{\text{comptant investi}}$$

Cette partie du gain, soit la réduction du prêt, est réalisée lors d'un « refinancement » ou au moment de la vente. Entre-temps, vous augmentez votre « équité » dans l'immeuble.

---

6. État de recettes.

LE RATIO DU RETOUR TOTAL AVEC PLUS-VALUE

Ce ratio est un peu plus spéculatif ou imaginaire, car une de ses composantes est une approximation de la valeur future d'un immeuble. Il se calcule comme suit :

$$\text{Ratio avec plus-value} = \frac{\text{comptant disponible + réduction du prêt + augm. de valeur}}{\text{comptant investi}}$$

ATTENTION : Ce ratio peut vous donner des chiffres qui peuvent être irréalistes, compte tenu du fait que l'on ne connaît jamais la valeur d'un immeuble dans l'avenir. Toutefois, avec ma méthode d'achat au prix de gros, il est relativement facile de savoir assez précisément quelle est la valeur sur le marché d'un immeuble au moment de l'achat. Donc, la plus-value est connue avec assez de précision. Elle perd quelque peu de sa précision lorsqu'on essaie de connaître la valeur d'un immeuble dans le temps, que ce soit une année ou 2, ou 3, etc.

LE RATIO DE COUVERTURE DE LA DETTE

Il démontre la relation entre le comptant disponible par rapport au service de la dette, en d'autres mots, votre capacité de remboursement.

$$\text{Ratio de couverture de la dette} = \frac{\text{RNO}}{\text{Paiement de l'hypothèque}}$$

Ce ratio est important pour les prêteurs. Il assure le prêteur que vous serez capable de payer la dette en exigeant que votre versement de prêt soit couvert avec un surplus de liquidité. Il peut varier d'une institution à l'autre, mais en général il variera entre 1,10 et 1,35. Le plus utilisé est de 1,20.

TABLEAU – RATIOS D'ANALYSE

Hypothèse de coût et de financement		
Terrain		200 000 $
Bâtisse		1 800 000 $
Améliorations		75 000 $
Coûts d'acquisitions		25 000 $
Investissement total		2 100 000 $
Prix d'achat	100 %	2 000 000 $
Comptant	15 %	300 000 $
Montant à financer	85 %	1 700 000 $
	Annuel	Mensuel
Taux d'intérêt	7,375 %	0,615 %
Amortissement	25 ans	300
Paiement	149 099 $	12 425 $
Comptant		300 000 $
Améliorations		75 000 $
Coûts d'acquisition		25 000 $
Comptant déboursé		400 000 $

Hypothèse de revenus et dépenses		
Nombre d'unités		45
Loyer mensuel		914,22 $
Revenu brut effectif (RBE)	100 %	493 680 $
Dépenses d'opération (DO)	55 %	271 524 $
Revenu net d'opération (RNO)	45 %	222 156 $
Service de la dette		149 099 $
Surplus d'opération		73 057 $
Diminution du capital		24 543 $
Retour total		97 600 $

Ratios	
Taux de capitalisation	10,58 %
Retour sur comptant investi	18,26 %
Retour total	24,40 %
Retour avec plus-value de 2 %	34,40 %
Ratio de couverture de la dette	1,49

APPRENDRE À LIRE ENTRE LES LIGNES

Après avoir analysé des dizaines de fiches descriptives d'immeubles à revenus, vous en arriverez à établir des moyennes de chiffres par poste de dépenses détaillées sur les états de revenus et dépenses. Vous verrez assez rapidement, à titre d'exemple, que l'entretien et les réparations peuvent varier entre 10 et 15 % des revenus, que les taxes représentent environ 5 %, les assurances 4 %, et les frais d'administration 5 %.

De toute évidence, certaines de ces dépenses vont varier selon l'âge, l'emplacement et l'état général des immeubles évalués, mais si vous concentrez vos recherches dans une ville ou un quartier en particulier, vous aurez une bonne idée de la moyenne de ces coûts.

En comparant les différents états des revenus et dépenses, vous serez en mesure de constater que tout ce qui sera en dehors des moyennes établies attirera votre attention. Par exemple, si le poste entretien et réparations représente 4 % des revenus, vous voudrez investiguer davantage ces informations.

Dans ce cas, il y a de fortes chances que toutes les dépenses n'aient pas été déclarées, mais si c'est la vérité, cela vous indiquera que la gestion de l'immeuble est très efficace. D'un autre côté, il se peut que, dans l'année qui vous est présentée, l'entretien et les réparations aient été minimes, mais attention aux années précédentes ou à venir. C'est pourquoi il est préférable, lors de vos évaluations, d'utiliser les moyennes afin d'arriver à une dépense plus près de la réalité.

Un autre indice qui peut être utilisé afin de déterminer des dépenses, c'est de les ramener sur une base où vous les évaluez par appartement. Si vous en arrivez à établir que les frais d'exploitation par appartement sont d'environ 500 $ sur le marché que vous analysez, et que pour l'immeuble que vous considérez ces dépenses sont de 800 $ par logement, vous serez certainement intéressé de savoir pourquoi. Si c'est le cas, l'expérience démontre qu'avec une bonne équipe de gestion en place, vous pouvez arriver à réduire les coûts et, par déduction, obtenir une meilleure valeur. Vous pouvez aussi ramener votre base de comparaison au pied carré.

Les évaluateurs agréés et certains agents d'immeubles expérimentés dans les propriétés à revenus peuvent être de bonnes sources d'informations relativement à la valeur des immeubles et des points de comparaison.

SOMMAIRE

Au cours de ce chapitre, nous nous sommes attardés principalement sur les concepts et les principes de l'analyse financière. Nous avons examiné les 3 méthodes tradionnelles – soit les techniques de comparaison, du coût de remplacement et du revenu capitalisé. Finalement, nous avons appris à utiliser les ratios – taux de capitalisation, comptant sur RNO, total sur RNO, total plus-value sur RNO et le ratio de couverture de la dette.

Plus vous serez familier avec ces différents calculs et ratios, meilleur vous serez pour évaluer les immeubles qui vous intéressent. Souvenez-vous que votre capacité à analyser ces immeubles, correctement et selon vos propres objectifs financiers, vous permettra d'économiser des dizaines de milliers de dollars et plus encore. De plus, vous éviterez peut-être des erreurs coûteuses et potentiellement catastrophiques.

7

FINANCER SES ACQUISITIONS

Obtenir le financement adéquat pour l'acquisition de vos immeubles est une étape cruciale dans le processus d'achat et votre capacité à bien le structurer vous assurera la réussite en tant qu'investisseur immobilier. Ce chapitre vous informe des différentes possibilités de financement conventionnel disponibles.

Votre compréhension du financement vous permettra également de pouvoir faire des achats presque sans limites, dans la mesure où vous ne devez pas sauter la moindre étape de croissances, et ce, si vous désirez garder les immeubles et encore plus important si vous optez pour un volet plus spéculatif.

Prenez le temps de bien comprendre le financement hypothécaire avec ses subtilités, la précision de sa mécanique, de ses méthodes de calculs et de ses différentes caractéristiques. Plus votre compréhension des différentes options de financement sera grande, plus votre succès sera proportionnel à cet entendement.

Les règles du financement hypothécaire de base sont bien établies et très strictes, mais avec un peu d'imagination, il y a moyen de les améliorer légalement.

Nous verrons dans le chapitre suivant différentes techniques de financement créatif qui vont vous permettre d'acquérir des propriétés avec un minimum de comptant et, dans certains cas, sans aucun comptant.

L'ÉQUATION DU FINANCEMENT

Retenez bien la définition suivante du financement, dans un contexte canadien et québécois. Elle est de toute première importance.

Une institution financière finance un immeuble en se basant sur le montant le plus bas entre le prix payé ou sa valeur marchande (valeur économique).

Ainsi, supposons que vous achetiez un immeuble que vous payez 250 000$ et que sa valeur marchande, selon un évaluateur, est de 300 000$, la banque vous financera selon le plus bas prix des deux, soit 250 000$.

À l'opposé, si vous payez un immeuble 300 000$ et qu'il vaut 250 000$, selon leur évaluation, l'institution financière vous financera à partir du plus bas des deux prix, soit 250 000$.

LE TYPE DE FINANCEMENT

Dans le contexte actuel, il existe deux types de financement hypothécaire:

- l'hypothèque conventionnelle;
- l'hypothèque assurée.

L'HYPOTHÈQUE CONVENTIONNELLE

Le financement hypothécaire au Canada est régi par la loi des banques qui stipule qu'un prêt hypothécaire ne doit pas dépasser 75% de la valeur d'un immeuble (pouvant atteindre 80% dans le cas d'un propriétaire occupant), sauf si ce prêt est assuré par un organisme accrédité.

L'HYPOTHÈQUE ASSURÉE

À ce moment-là, le prêt peut atteindre un pourcentage plus élevé selon la catégorie d'immeubles:

- une maison unifamiliale 95%
- un duplex 92,5%
- un triplex 90%
- tous les autres immeubles, jusqu'à une possibilité de 85%

Les deux organismes qui assurent les prêts hypothécaires actuellement sont:

- la société centrale d'hypothèque et de logement (SCHL);
- la GENTECH (GE Capital).

Ces deux organismes ont, règle générale, les mêmes critères d'acceptation, sauf que des cas qui ont été refusés chez SCHL ont très régulièrement été acceptés par GE Capital et vice versa.

LES PRÊTEURS INSTITUTIONNELS

- toutes les banques à charte canadiennes;
- les caisses populaires, qui ne sont pas des banques, donc non soumises à la loi des banques canadiennes quoiqu'elles suivent à peu près les mêmes règles et, selon mon expérience, elles démontrent une certaine flexibilité;
- les compagnies d'assurances qui sont aussi régies par une loi relativement aux prêts;
- les fonds de pension tels que la Caisse de dépôt et placement du Québec, Teachers, en Ontario.
- les banques étrangères qui doivent quand même détenir une charte de banque canadienne.

Les prêteurs institutionnels préfèrent de beaucoup effectuer des hypothèques de premier rang. Ils acceptent de faire des hypothèques de deuxième rang, mais le ratio total d'endettement, incluant le montant qu'ils acceptent de prêter, ne doit pas dépasser 75 % de la valeur de l'immeuble.

LES PRÊTEURS SECONDAIRES

- les compagnies de finance traditionnelles: HFC, CitiFinancière;
- les compagnies privées de financement hypothécaire;
- les prêteurs privés (individus);
- le vendeur de l'immeuble que vous désirez acheter;
- un ou des associés.

DES RATIOS DE FINANCEMENT

Toutes les catégories de prêteurs vont exiger un ratio de couverture de la dette. Ce ratio (se reporter au chapitre de l'évaluation pour comprendre ce qu'est ce ratio) variera d'une institution à une autre, compte tenu du fait que le prêt est assuré ou non.

En règle générale, ce ratio sera d'environ 1,15 à 1,2 pour un prêt conventionnel non assuré et de 1,30 s'il est assuré.

Ce qui veut dire que le revenu net d'opération (RNO) devra dépasser de 15 % à 30 % le remboursement du prêt hypothécaire.

Ce ratio assure le prêteur que le revenu net d'opération généré par l'immeuble sera suffisant pour couvrir le prêt et procurer un rendement (profit) au propriétaire.

De toute évidence, ces méthodes conventionnelles de calcul apportent beaucoup de restrictions tant pour les acheteurs débutants que pour ceux qui sont plus expérimentés. C'est pourquoi il faut utiliser beaucoup de créativité pour être en mesure de bonifier le financement hypothécaire et d'acheter avec le moins de comptant possible ; et ce, en se gardant tout de même une marge sécuritaire car le but de l'exercice est de s'enrichir et non de s'appauvrir.

D'AUTRES INTERVENANTS

Je recommande fortement l'utilisation d'un courtier hypothécaire. C'est facile à comprendre, ils ne sont payés que lorsqu'ils réussissent à obtenir un prêt. Ces intervenants vont vous faire épargner temps, argent et erreurs :

- du temps : ils vont vous assister dans la préparation des dossiers, calculs de ratios, conseils, déplacements, perte de temps, assemblage du dossier. Ils connaissent les prêteurs pour le type d'immeubles que vous désirez acheter.
- de l'argent : si vous êtes refusé, vous ne pourrez pas acheter l'immeuble et votre crédit pourra en être affecté.
- des erreurs : le courtier en hypothèque, calculera tous les ratios exigés par les prêteurs. Il vous suggérera les conseils d'usage afin de corriger ou de modifier certaines situations, avant de présenter le dossier afin qu'il soit acceptable au moment de la demande officielle.

Ces intervenants connaissent très bien les règles du jeu, mais attention, il faut choisir le bon. Certains ne s'occupent que de la maison unifamiliale et ce sont la majorité d'entre eux. Il faut en choisir un qui est spécialisé exclusivement dans la propriété à revenus. Travailler avec quelqu'un qui ne s'y connaît pas peut être encore plus néfaste. Demander des références avant de choisir un intervenant.

D'autre part, tout ce qu'un courtier hypothécaire peut faire, vous êtes aussi en mesure de le faire, mais pour un novice, vous risquez de rater votre coup et de vous nuire, par surcroît ; ce qu'il faut naturellement éviter le plus possible en matière de financement.

Souvenez-vous qu'un prêteur ne peut se fier qu'aux informations de crédit qu'il obtiendra à propos de vous et qu'aux calculs des ratios exigés qu'il devra faire.

LES RAPPORTS DE CRÉDIT

Afin de maximiser vos chances d'obtenir un prêt hypothécaire, tout en sachant que chaque fois qu'une demande de vérification de crédit est faite à propos de vous, votre cote de crédit en est affectée, vous pouvez solliciter une copie de votre rapport de crédit, sans frais, auprès de deux compagnies de crédit du Canada.

Il est d'une extrême importance que vous sachiez ce que ces entreprises ont dans leurs dossiers concernant votre crédit et ce qui est véhiculé sur votre compte. Si vous faites cette demande par Internet, et que vous souhaitez recevoir votre dossier par courrier électronique, vous devrez payer certains frais, mais cependant la réponse est instantanée. Demandez aussi votre pointage de crédit (*credit score*), il vous informe sur votre cote de crédit. Cette dernière doit d'ailleurs être d'au moins 600 et plus.

Les deux entreprises en question sont :

- Equifax www.equifax.ca
- TransUnion www.transunion.ca

Vous avez accès immédiatement à vos informations de crédit avec les explications qui s'imposent. S'il y a des erreurs ou des inexactitudes, vous pouvez faire une demande auprès d'eux afin qu'ils apportent les correctifs nécessaires. Attention, vous ne pouvez pas leur demander de corriger les données si facilement, il faut que vous leur fassiez parvenir les preuves de ce que vous avancez en ce qui a trait aux données erronées. Après quelques jours, demandez-leur si les corrections ont été faites.

LE VOCABULAIRE DU FINANCEMENT HYPOTHÉCAIRE

LA PÉRIODE D'AMORTISSEMENT

La durée totale sur laquelle s'étale votre prêt hypothécaire et à quel moment il doit être remboursé : au bout de 10, 15, ou 25 années, par exemple.

LES TAUX D'INTÉRÊT

Pourcentage appliqué à une somme empruntée à un prêteur pour un prêt hypothécaire et qui permet de calculer l'intérêt que lui rapporte cette somme que vous lui remettrez pour une période donnée.

LE RANG DE L'HYPOTHÈQUE

Lorsqu'il existe plusieurs prêts sur un immeuble, chacun des prêteurs détient une hypothèque classifiée selon le rang où le prêt a été consenti. Le premier prêteur détiendra une hypothèque de premier rang, le deuxième en détiendra une de deuxième rang, et ainsi de suite.

LES FRAIS DE DOSSIER

Frais facturés par le prêteur pour l'analyse, la préparation et la présentation du dossier.

LE TERME

La période au moment où le prêt devient négociable à nouveau : amortissement de 25 ans, terme de 5 ans.

RAPPORT D'EXPERT

Très souvent, le prêteur va exiger différents rapports d'experts tels que l'évaluation, le rapport environnemental, l'inspection de bâtiments, le rapport d'ingénieur, le certificat de localisation.

REPRISE D'HYPOTHÈQUE

Transfert du prêt au nom d'un nouvel acheteur. Contrat par lequel l'acheteur d'un immeuble prend à sa charge l'hypothèque consentie par le vendeur. Attention ici, si la demande n'est pas faite, le premier signataire demeure responsable du prêt avec le nouvel acheteur.

PÉNALITÉ DE PAIEMENT ANTICIPÉ

Pénalité exigée par un prêteur lorsqu'on rembourse avant la fin du terme choisi. Cette somme peut être considérable. Les facteurs qui sont observés dans le calcul de cette pénalité sont le taux du marché au moment du remboursement et le nombre d'années qui restent sur le terme original.

LISTE DE DOCUMENTS RÉCLAMÉS PAR LES PRÊTEURS

Voici une liste de documents que les prêteurs peuvent vous demander lors du processus d'emprunt :

- la demande de prêt ;
- l'offre d'achat ;
- votre bilan personnel ;
- vos déclarations de revenus ou vos avis de cotisations (généralement 3 années) ;
- vos sources de revenus ;
- une fiche descriptive de la propriété ;
- une analyse de rentabilité (c'est à ce stade qu'un courtier en financement est très utile, précisément dans le calcul des ratios) ;
- une copie des baux ;
- une copie des comptes de taxes municipales et scolaires ;
- un certificat de localisation ;
- un rapport environnemental ;
- rapport d'inspecteur de bâtiments (facultatif).

Faites vos devoirs avant de présenter votre demande. C'est fini le temps où l'on arrivait devant le banquier et que l'on ressortait de son bureau avec une acceptation. Aujourd'hui, le processus est beaucoup plus évolué. Souvenez-vous que le prêteur, sauf le prêteur privé, ne prête pas son argent, il prête l'argent des autres. C'est pourquoi il est si prudent. Il ne veut pas reprendre la propriété, il ne veut que revoir son argent.

8

LE FINANCEMENT CRÉATIF ET LE COMPTANT NÉCESSAIRE À L'ACHAT

Au cours du chapitre précédent, il a été question de financement conventionnel. Si l'on s'en tient aux règles générales, il vous sera assez difficile d'acheter des immeubles à revenus à moins que vous n'ayez déjà une somme d'argent suffisante pour faire des acquisitions d'immeubles. Les prêteurs conventionnels tels que les banques vont dans bien des cas prêter jusqu'à un maximum de 65 % du plus bas montant entre le prix exigé et l'évaluation de la valeur marchande ; cette valeur marchande, ils la déterminent en utilisant les services d'un évaluateur agréé. À partir de ce calcul, très peu de personnes sont capables d'arriver en ayant en main le comptant demandé, soit 35 %.

C'est à ce moment-là qu'il faut se servir de sa créativité pour réunir la différence manquante entre le prix payé et le montant accordé de l'hypothèque. Nous allons évidemment parler ici seulement de méthodes légales. Étant donné que les contextes évoluent rapidement, je vous conseille de toujours faire vérifier la légalité des techniques décrites dans ce livre, auprès de personnes compétentes.

La première partie du financement est toujours la plus facile à obtenir. Les règles du jeu sont très bien établies. Pour trouver la différence qui servira à couvrir la mise de fonds et les frais relatifs à l'achat, on doit utiliser une ou plusieurs des techniques que je vous présente dans les pages suivantes.

Lorsqu'on parle de peu ou pas de comptant, il faut bien comprendre ici que, règle générale, le vendeur, quant à lui, est toujours payé en entier, sauf dans le cadre de certaines techniques utilisées, où il arrive qu'il participe au financement.

QUELQUES SOURCES DE FINANCEMENT CRÉATIF

Trouver le comptant nécessaire à l'achat est presque toujours la hantise des investisseurs immobiliers. Comment réussir à acheter un immeuble avec peu ou pas de comptant? Examinons de plus près quelques-unes des techniques les plus usuelles qui peuvent vous aider à réunir la mise de fonds requise.

Mais auparavant, voici une liste de sources d'argent de base de comptant qui, additionnées ou interverties entre elles, pourront vous fournir une source presque illimitée de comptant:

1. le vendeur de la propriété;
2. la propriété elle-même;
3. d'autres investisseurs;
4. des associés;
5. les locataires;
6. les agents d'immeubles;
7. les notaires;
8. vos connaissances et services;
9. les prêts existant sur un immeuble;
10. vos assurances vie;
11. les cartes de crédit;
12. les emprunts à court terme;
13. les « refinancements » d'immeubles existant;
14. les parents;
15. les amis.

À partir de ces sources d'argent, voici quelques exemples d'exercices qu'il est possible d'effectuer. Il en existe une centaine que nous ne verrons pas toutes ici, mais en voici quelques-unes. Ces techniques s'adressent principalement à ceux qui:

- veulent débuter dans l'investissement immobilier et qui n'ont pas beaucoup d'argent;
- désirent utiliser l'effet de levier au maximum.

Pour ceux qui disposent déjà d'une somme d'argent pour débuter, la partie n'en sera que plus facile.

ATTENTION :

1. Vous n'êtes pas obligé d'être d'accord avec les techniques décrites ci-après. Prenez celles qui vous conviennent le mieux. Certaines exigent beaucoup d'audace, mais l'investissement immobilier en demande aussi. J'ai déjà utilisé toutes les techniques énumérées dans ce livre à un moment ou à un autre de mon existence, certaines plus au début de ma carrière d'investisseur et d'autres que j'utilise encore.
2. Beaucoup de ces techniques ne s'appliquent qu'à condition de dénicher un immeuble en bas du prix du marché. C'est la méthode que je préconise et qui est basée sur le fait que, dans l'immobilier comme dans n'importe quel commerce – d'ailleurs je l'ai précisé à quelques reprises jusqu'ici – LE PROFIT SE FAIT À L'ACHAT.

SOLDE DE PRIX DE VENTE

Le vendeur accepte de financer, en partie ou complètement, la différence entre le prix de vente et le montant du prêt obtenu en première hypothèque.

L'EMPRUNT PERSONNEL

Un prêt personnel effectué auprès d'une institution prêteuse. Attention ici aux calculs de ratios financiers.

UN EMPRUNT AUPRÈS DE PARENTS OU D'AMIS

Plus communément appelé, la *love money*[1], vous demandez à un parent ou à un ami de vous prêter le comptant nécessaire à l'acquisition d'un immeuble. Ce type de financement a de plus l'avantage de ne pas paraître sur votre dossier de crédit. La *love money* est un moyen de financement « invisible ».

UN EMPRUNT FAIT PAR UN PARENT OU UN AMI

Un parent ou un ami fait un emprunt auprès d'une institution prêteuse et il vous passe ce prêt par la suite afin de vous aider à fournir

1. Capital de proximité, apports familiaux, capital de risque convivial : Capital d'investissement privé qui provient des connaissances et de la famille.

le comptant nécessaire. Puisque que vous empruntez à vos proches, ces emprunts sont des dettes d'honneur. Soyez prudent lorsque vous utilisez ces fonds.

UN EMPRUNT SUR VOS CARTES DE CRÉDIT

Vous pouvez obtenir des avances de fonds sur vos cartes de crédit. Attention aux taux d'intérêts. Si c'est pour du court terme, le montant des intérêts peut être négligeable, mais pour du long terme, c'est une autre affaire. Vous devez être très disciplinés lorsque vous utilisez vos cartes de crédit. Pour investir c'est bien, mais lorsque vous vous laissez tenter par la consommation à outrance, vous risquez gros.

LA POLICE D'ASSURANCE VIE

Si vous possédez une assurance vie avec valeur de rachat, c'est de l'argent qui vous appartient et qui peut vous être prêté avec un faible taux d'intérêt.

UNE POLICE D'ASSURANCE VIE DE PARENTS OU D'AMIS

Ils empruntent sur leur police et vous prêtent l'argent ensuite.

UNE LOCATION AVEC OPTION D'ACHAT

Louez l'immeuble plutôt que de l'acheter tout de suite, avec comme entente qu'une partie du paiement du loyer sera appliquée comme comptant sur le prix d'achat, dont le montant et la date sont préétablis dès la signature du bail. Au terme de l'option, vous aurez accumulé le montant nécessaire à la mise de fonds. Cette technique s'applique surtout aux maisons unifamiliales.

L'ÉQUITÉ QUE VOUS POSSÉDEZ SUR UN AUTRE IMMEUBLE

Financez à nouveau un immeuble que vous possédez déjà afin d'aller chercher l'équité accumulée au cours des années. Vous pourrez ainsi investir dans un nouvel immeuble et multiplier vos rendements de façon incroyable.

UN PRÊT SUR D'AUTRES ACTIFS QUE VOUS POSSÉDEZ

Financez à nouveau également votre chalet, vos autos, votre motorisé, vos bijoux, vos œuvres d'art, etc.

LA COMMISSION DE L'AGENT IMMOBILIER

Pour qu'une transaction se réalise, certains agents d'immeubles sont prêts à vous signer une reconnaissance de dettes envers eux afin que ce montant vous serve de comptant.

LES HONORAIRES DU NOTAIRE

Même chose que le point précédent, mais faire cette reconnaissance de dettes avec les honoraires du notaire.

LE COMPTANT REMIS AU VENDEUR

Vérifiez auprès du vendeur si vous pouvez échelonner le comptant requis sur une période de quelques mois ou de quelques années. Qui sait ? peut-être que le vendeur n'a pas besoin immédiatement du comptant ou d'une partie de celui-ci.

DU TROC

Échanger le comptant ou une partie du comptant contre des biens ou services dont le vendeur peut avoir besoin, par exemple, des travaux, des services, un bateau, des objets d'art, etc.

VOS PLACEMENTS

Escomptez les placements que vous avez : vos obligations, vos actions en Bourse, vos certificats de dépôt ou de placement.

LES PLACEMENTS DE PARENTS OU D'AMIS

Servez-vous du même principe que le point précédent à une variante près que, cette fois-ci, ce sont vos proches qui escomptent leurs placements pour vous prêter cet argent par la suite.

LE VENDEUR

Offrez un prix plus élevé au vendeur en échange d'une partie de financement par lui-même. Vous pouvez également augmenter le taux d'intérêt de l'argent que vous lui remettrez afin de rendre votre offre plus alléchante.

CONCLURE UNE VENTE EN DOUBLE (FERMETURE DOUBLE)

Vous trouvez l'immeuble et vous le revendez la journée même à un acheteur que vous saviez déjà intéressé à acquérir ce type d'immeuble. Le meilleur moyen d'arriver à effectuer cette prouesse, c'est de vous constituer une banque d'acheteurs potentiels. Plus cette banque sera fournie, plus vos chances de réussir cette technique seront bonnes.

REVENDRE SA PROMESSE D'ACHAT (*FLIP*[2])

Lorsqu'une transaction est intéressante, vous pouvez tout simplement vendre votre promesse d'achat pour une somme d'argent ou pour une participation dans la transaction avec d'autres associés, s'il vous manque de l'argent.

FAIRE DES RECHERCHES POUR QUELQU'UN D'AUTRE

Vous avez du temps mais peu d'argent ? Sachez qu'il existe beaucoup de gens qui ont de l'argent et peu de temps ou de connaissances pour dénicher des aubaines. Vous pouvez chercher les immeubles pour quelqu'un d'autre en échange d'une rémunération.

FORMER UN GROUPE D'INVESTISSEURS

Regroupez un certain nombre de parents ou d'amis afin de réunir les fonds nécessaires à l'achat. Cette technique est fort utile pour de grosses transactions et elle constitue une force extraordinaire. ATTENTION : Il est particulièrement recommandé de consulter des experts en convention entre actionnaires ou en contrat entre associés. L'idéal

---

2. Opération de vente-achat, opération d'achat-revente : Opération par laquelle un contribuable vend un bien pour le racheter ou racheter un bien identique peu de temps après, ou achète un bien pour le revendre peu de temps après, dans le but d'éviter un impôt.

est de prévoir des clauses qui décrivent la façon dont les intérêts des autres actionnaires seront protégés, advenant le départ d'un associé qui souhaite se retirer ou le décès de l'un des actionnaires.

LES LOYERS

Le premier versement hypothécaire est généralement dû 30 jours après la date d'acquisition. Vous devez donc percevoir d'avance deux mois de loyer avant que les paiements commencent. Donc, le premier mois de loyer vous est remis chez le notaire et fait partie des ajustements qu'il doit régler. Attention, lors de la vente, c'est l'inverse qui se produit.

UNE OPTION D'ACHAT

Vous vous entendez sur le prix d'une propriété notariée à une date ultérieure et, pour cette période, le vendeur vous demande un montant pour réserver l'immeuble à votre intention. Si vous n'achetez pas à la date convenue, vous perdez votre dépôt. Cette technique vous permet de revendre l'immeuble à la fin de l'option avec un profit si la valeur marchande augmente.

DEMANDEZ AU VENDEUR DE FINANCER À NOUVEAU

Le vendeur finance à nouveau l'immeuble avant de vous le vendre. Vous prenez en charge l'hypothèque consentie par le vendeur lors de l'acte notarié. Le vendeur touche son argent au moment du « refinancement ». Évidemment, le vendeur doit être extrêmement motivé ou avoir pleinement confiance en vous pour vendre dans ces conditions.

ET LA CRÉATIVITÉ DANS TOUT ÇA ?

Il est possible d'utiliser plusieurs de ces techniques simultanément, ce qui augmente la quantité de possibilités de réussir à effectuer des transactions avec le moins de comptant possible. La seule limite est votre imagination. Plus vous acquerrez de l'expérience, plus vous serez sûr de vous-même et plus vous deviendrez créatif.

De vous jeter dans la mêlée et de mettre la main à la pâte pour amorcer votre carrière dans l'immobilier est certainement le moment le plus difficile. Avec le temps, vos immeubles prendront de la valeur, le montant de l'hypothèque diminuera. Vous aurez alors la possibilité de « refinancer » vos immeubles afin d'aller chercher l'équité accumulée qui servira de comptant pour l'achat d'autres immeubles, et ainsi de suite. C'est ce que nous verrons dans les prochaines pages.

Mais avant de passer au chapitre suivant, permettez-moi de vous énumérer quelques avantages à demander aux vendeurs de demeurer en « balance de prix de vente ». Tous les investisseurs qui ont bâti leur empire immobilier connaissent l'importance d'obtenir un solde de prix de vente de la part du vendeur. Une partie du financement par le vendeur procure plus de flexibilité, comparativement au financement conventionnel offert par les institutions bancaires. Cela vous permet d'éviter une partie des qualifications requises exigées par ces dernières.

Il est important d'informer et de convaincre le vendeur des bénéfices qu'il peut retirer de financer une partie de la transaction.

LES BÉNÉFICES POUR LE VENDEUR

1. la possibilité de différer ses impôts ;
2. cela facilite et accélère la vente ;
3. cela peut s'avérer un placement supérieur à ce qu'il recevrait s'il optait pour un placement bancaire conventionnel ;
4. son prêt est assuré par une propriété en garantie qu'il connaît déjà ;
5. cette transaction lui procure un flux monétaire régulier.

LES BÉNÉFICES POUR L'ACHETEUR

1. un taux d'intérêt généralement inférieur au marché ;
2. des termes plus flexibles ;
3. une possibilité d'insérer des clauses avantageuses pour l'acheteur comme un transférable, un paiement anticipé, un escompte sur paiement anticipé, etc.
4. habituellement sans aucune vérification de crédit ni restriction de revenus ;
5. un financement négociable.

Le meilleur conseil que je puisse vous donner lors du processus d'acquisition, c'est: N'ayez pas peur de demander. Que ce soit au moment de la négociation du prix ou du financement, laissez à l'autre l'opportunité de dire non. Ne dites pas non à sa place. Très souvent, c'est à ce moment-là que vous découvrirez à quel point le vendeur peut être flexible.

C'est le jeu de la négociation!

9

L'EFFET DE LEVIER, VOTRE OUTIL LE PLUS PUISSANT

Archimède, le mathématicien et physicien grec, découvrit la loi du levier. Il aurait dit que s'il avait eu en sa possession un levier assez long et un endroit pour s'appuyer, à lui seul il aurait pu soulever la terre.

En immobilier, le même principe s'applique : si vous aviez un levier assez long, il vous serait possible d'acheter des immeubles plus gros que vous ne pourriez l'imaginer. La formule ADA – l'argent des autres – est l'équivalent en immobilier du levier en physique. Tous les investisseurs utilisent l'effet de levier sans le savoir et même ceux qui achètent des maisons unifamiliales.

En effet, avec la SCHL, ils financent leurs maisons jusqu'à 95 % de leur valeur. C'est-à-dire qu'avec un montant de 5 000 $, ils achètent une maison de 100 000 $, dont 95 000 $ sont financés par la banque. L'effet de levier est l'outil le plus puissant que vous pouvez posséder. Si vous l'utilisez intelligemment, cet outil peut et va certainement, sans tenir compte de votre point de départ, vous rendre aussi riche que vous le voudrez ou tant que vous aurez l'énergie nécessaire pour continuer d'acheter des immeubles.

Demandez aux grands de l'immobilier avec quel argent ils ont réussi à bâtir leur empire financier ? Tous vous répondront qu'ils utilisent au maximum l'argent des autres pour faire l'acquisition de leurs immeubles.

L'ARGENT COMPTANT VERSUS L'EFFET DE LEVIER

Il existe une vieille croyance parmi la population selon laquelle il est impossible de démarrer en affaires sans argent. Si vous n'avez pas assez d'argent ou suffisamment d'actifs, vous aurez de la difficulté à utiliser un effet de levier de 10 % pour démarrer votre propre entreprise.

Par comparaison, quelqu'un qui débute dans l'immobilier peut facilement utiliser un effet de levier de 90 % et même plus.

À titre d'exemple, si vous planifiez de lancer votre propre entreprise et que vos épargnes totalisent 20 000 $, vous aurez probablement beaucoup de difficultés à emprunter 20 000 $ supplémentaires d'une banque. Si vous y parvenez, dans ce cas, votre effet de levier sera de 50 %. Comparez cette situation avec un investissement dans un immeuble. Si vous avez réussi à épargner 10 000 $, il ne vous sera pas difficile d'acheter une propriété entre 80 000 $ à 100 000 $, même si vous êtes sans expérience.

Si vous cherchez un peu, vous réussirez à acheter un immeuble valant 100 000 $, soit un ratio d'effet de levier de 90 %. Ceci veut dire que 90 % de votre investissement viendra de l'argent des autres. À ce stade-ci, vous pourriez dire, alors quoi ? Pourquoi tant utiliser l'argent des autres ? Et même s'il ne me nuit pas, comment est-ce que cela peut m'aider ?

Afin de bien comprendre, examinons l'exemple suivant :

Émettons l'hypothèse selon laquelle vous disposez de 20 000 $ en économies et que vos chances sont bonnes en immobilier. Vous en êtes à comparer deux propriétés à revenus mais de dimensions différentes. Le premier immeuble, à plusieurs logements, vaut 200 000 $. Le second est un chalet valant 20 000 $.

L'immeuble à plusieurs logements de 200 000 $ peut être acheté avec 20 000 $ comptants et 180 000 $ financés par une première hypothèque, et une balance de prix de vente en garantie, par une hypothèque de deuxième rang. D'autre part, le chalet est payé comptant, soit 20 000 $.

Supposons par exemple que le taux d'inflation est de 10 %. Une année plus tard, l'immeuble à plusieurs logements vaudra sur le marché 220 000 $, alors que la valeur du chalet payé comptant sera de 22 000 $. Oublions ici, la capitalisation et la fiscalité, considérons seulement l'inflation. Dans le cas de la propriété à revenus, vous auriez réalisé un profit de 20 000 $, c'est-à-dire que vous auriez doublé votre argent ou atteint un rendement de 100 %. Dans le cas du chalet, votre profit serait de 2 000 $ ou 10 % (voir le graphique suivant) :

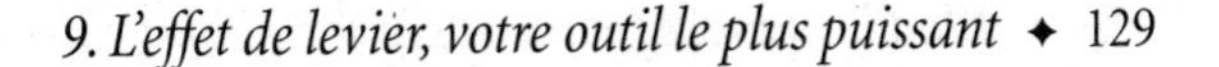

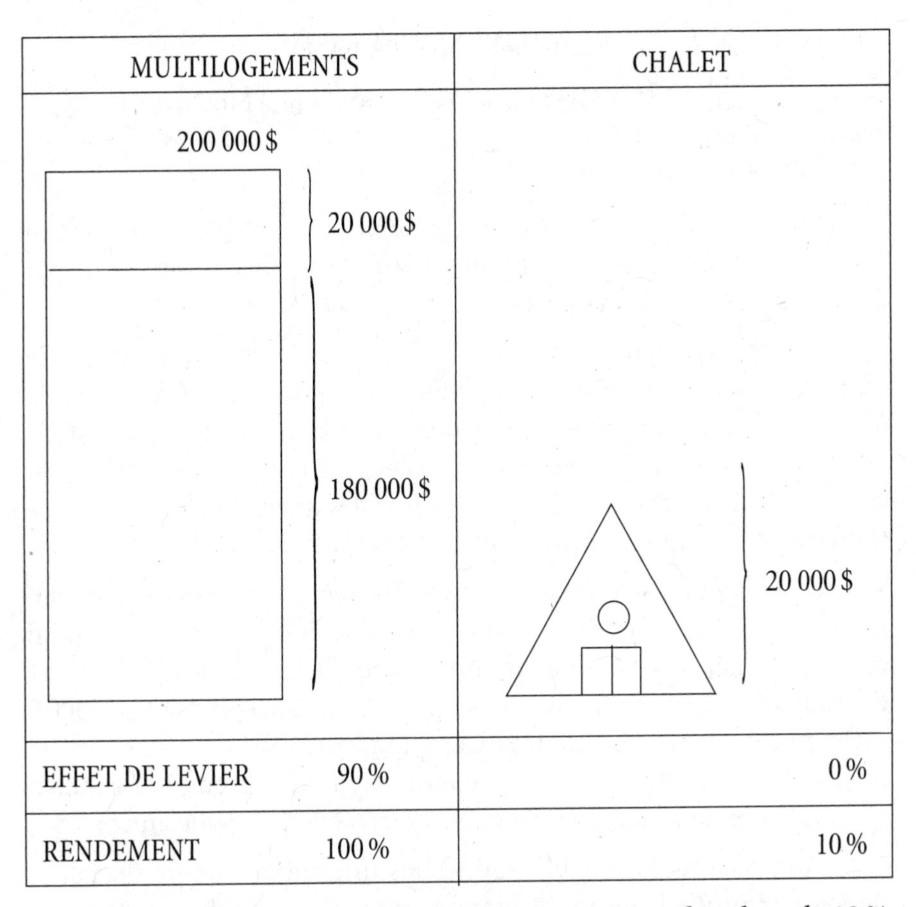

MULTILOGEMENTS		CHALET
200 000 $ — 20 000 $ / 180 000 $		20 000 $
EFFET DE LEVIER	90 %	0 %
RENDEMENT	100 %	10 %

Vous avez très bien compris, une augmentation de valeur de 10 % vous permet de réaliser un profit de 100 %. Grâce à ce simple exemple, il vous est facile de voir pourquoi l'effet de levier est l'outil le plus puissant de l'investissement immobilier. Car même si cela prend deux ans ou même cinq ans pour accroître la valeur de 10 %, vous obtiendrez un rendement extraordinaire. Ajoutez à cela le profit d'opération et la capitalisation et votre rendement devient alors encore plus intéressant.

D'un autre côté, qu'arrive-t-il s'il n'y a pas d'inflation ? Vous pouvez toujours améliorer l'immeuble en lui donnant de « l'inflation forcée » qui consiste tout simplement à effectuer des travaux mineurs pour moderniser l'apparence générale de l'immeuble. Ce sont tous ces menus travaux qui peuvent donner à l'immeuble une apparence impressionnante sans pour autant dépenser une fortune : du paysagement autour de l'immeuble, de la peinture, la rénovation de la porte d'entrée ou du système d'intercom, etc.

RETOURNONS À LA BASE

Le principe de base de l'enrichissement est que plus vous possédez d'actifs qui prennent de la valeur, plus vous vous enrichissez. L'exemple suivant le démontre bien.

Prenons deux investisseurs du même âge et gagnant chacun 65 000 $ par année. Après impôts, il leur reste chacun 40 000 $ par année ou 769 $ par semaine. Les deux sont célibataires.

Le premier, Jean, est un bon vivant et aime bien profiter de la vie au maximum. Il raffole des belles voitures et possède une automobile Mustang décapotable de l'année dont le versement mensuel est de 500 $. Il possède aussi une maison valant 200 000 $ avec versement mensuel de 1 500 $, comprenant le capital, les intérêts et les taxes. Il ne lui reste aucun argent disponible pour épargner.

Le deuxième, Jacques, est un peu plus réservé et préfère épargner. Il aime mieux se payer une voiture un peu moins dispendieuse qui lui coûte 350 $ par mois, et une maison un peu plus modeste d'une valeur de 150 000 $. Le versement mensuel sur cette maison est de 1 000 $ incluant capital, intérêts et taxes. Chaque année, il réussit à économiser à la banque 10 000 $. Avec ses économies, Jacques réussit à acheter, grâce à l'effet de levier, un immeuble de 100 000 $, chaque année.

Pour faciliter les calculs, supposons une augmentation de valeur de 5 % par année. Examinons maintenant la situation de chacun après 10 ans.

JEAN

Après 10 ans, sa maison de 200 000 $ vaut environ 300 000 $ et son solde hypothécaire est de 152 000 $. Ce qui lui donne une équité totale de 148 000 $. Pas si mal malgré tout pour une personne qui n'épargne pas et qui n'a aucun programme d'investissement.

JACQUES

Selon les mêmes conditions, sa maison vaudrait 225 000 $ avec un solde hypothécaire de 114 000 $, lui donnant une équité de 111 000 $. Cela semble moins avantageux que pour Jean, mais examinons les autres placements avec effet de levier qu'il a investis. Supposons ici que le taux d'intérêt est de 6 % amorti sur 25 ans, avec une augmentation de valeur de 5 % annuellement :

An	Prix achat	Valeur	Comptant	Solde hypot.	Équité
1	100 000 $	145 000 $	10 000 $	68 700 $	31 300 $
2	105 000 $	145 000 $	10 500 $	75 000 $	30 000 $
3	110 000 $	145 000 $	11 000 $	81 450 $	28 550 $
4	115 000 $	145 000 $	11 500 $	87 950 $	27 050 $
5	120 000 $	145 000 $	12 000 $	94 500 $	25 500 $
6	125 000 $	145 000 $	12 500 $	101 173 $	23 827 $
7	130 000 $	145 000 $	13 000 $	107 866 $	22 134 $
8	135 000 $	145 000 $	13 500 $	114 600 $	20 400 $
9	140 000 $	145 000 $	14 000 $	121 375 $	18 625 $
10	145 000 $	145 000 $	14 500 $	128 177 $	16 823 $
	1 225 000 $	1 450 000 $	122 500 $	980 791 $	469 209 $

Au bout de 10 ans, après avoir économisé 122 500 $, Jacques a accumulé une équité de 469 209 $, soit un peu plus de 400 % sur son capital, plus l'équité sur sa propriété de 111 000 $, pour un total de 580 209 $. Tout cela en supposant que l'augmentation moyenne ait été de 5 % annuellement. Imaginez maintenant que Jacques ait pu trouver des immeubles à 10 % en bas du prix du marché grâce aux techniques de recherches décrites dans ce livre.

Son équité atteindrait alors au moins 145 000 $ de plus, sans compter que ses soldes hypothécaires seraient plus bas que ce qui est décrit ici. Son équité serait alors de 725 209 $. Pas si mal pour un programme d'investissement très conservateur. Il ne faudrait qu'une inflation légèrement supérieure à 5 % pour que son million de dollars soit atteint.

Donc, après 10 années, Jean possède une équité de 152 000 $ alors que Jacques a accumulé 725 209 $. La seule différence est que Jacques a été plus discipliné que Jean et qu'il avait un plan d'investissement et d'économie qu'il a suivi avec rigueur. Si Jacques continuait le même programme pendant 3 ans, il atteindrait le million de dollars.

Imaginez maintenant ce même scénario sur une période de 25 ans et supposons que Jacques financerait à nouveau ses immeubles pour en acheter d'autres. Sa fortune atteindrait assurément plusieurs millions de dollars.

Si vous êtes le moindrement entreprenant, il vous sera possible de surpasser facilement ces résultats. Que pouvez-vous trouver sur le marché comme propriétés à revenus à 100 000 $? Répétez le même exercice pour les propriétés à 200 000 $ ou 300 000 $. Vous doublerez ou triplerez les résultats détaillés dans l'exemple d'équité de 725 209 $, soit 1 450 418 $ ou 2 175 627 $.

La plupart des gens que je rencontre dans mes séminaires ou dans mes sessions de coaching[3] et mentorat semblent pressés alors que rien ne presse vraiment. Il leur suffit de se doter d'un bon plan d'investissement, de le respecter rigoureusement et le tour est joué.

Facile de devenir millionnaire, n'est-ce pas ?

De toute évidence, plus vos transactions seront importantes plus votre enrichissement sera rapide. En plus, si vous possédez de bons revenus ou un bon capital de départ, la partie en sera d'autant plus facile.

En 1984, j'avais déjà quelques immeubles. À cette époque, le taux d'intérêt était de 21 %. Imaginez l'impact sur le prix des immeubles ! Ils étaient à leur plus bas étant donné que le prix des immeubles est calculé en fonction du taux de capitalisation, qui lui, est affecté par les taux d'intérêt. Au cours de la même année, le taux d'intérêt a baissé à 14 %. La valeur de mes immeubles venait de grimper.

Je les ai tous financés à nouveau même s'il y avait des pénalités à payer ; ils généraient des surplus d'opération, en plus d'une encaisse provenant de l'équité qui venait de se créer. Avec cette encaisse, j'étais en mesure d'acheter d'autres immeubles. Chemin faisant, 5 ans plus tard, je possédais 39 immeubles différents en utilisant simplement l'effet de levier au maximum et en mettant en pratique les techniques décrites dans ce manuel.

C'est difficile à imaginer, mais c'est incroyable ce que l'on peut accomplir en 10 ans !

---

3. Séances d'encadrement.

Valeurs futures d'un placement de 1 000 $

Taux / ans	5	10	15	20	25	30	35	40
5 %	1 276 $	1 629 $	2 079 $	2 653 $	3 386 $	4 322 $	5 516 $	7 040 $
6 %	1 338 $	1 791 $	2 397 $	3 207 $	4 292 $	5 743 $	7 686 $	10 286 $
7 %	1 403 $	1 967 $	2 759 $	3 870 $	5 427 $	7 612 $	10 677 $	14 974 $
8 %	1 469 $	2 159 $	3 172 $	4 661 $	6 848 $	10 063 $	14 785 $	21 725 $
9 %	1 539 $	2 367 $	3 642 $	5 604 $	8 623 $	13 268 $	20 414 $	31 409 $
10 %	1 611 $	2 594 $	4 177 $	6 727 $	10 835 $	17 449 $	28 102 $	45 259 $
11 %	1 685 $	2 839 $	4 785 $	8 062 $	13 585 $	22 892 $	38 575 $	65 001 $
12 %	1 762 $	3 106 $	5 474 $	9 646 $	17 000 $	29 960 $	52 800 $	93 051 $
13 %	1 842 $	3 395 $	6 254 $	11 523 $	21 231 $	39 116 $	72 069 $	132 782 $
14 %	1 925 $	3 707 $	7 138 $	13 743 $	26 462 $	50 950 $	98 100 $	188 884 $
15 %	2 011 $	4 046 $	8 137 $	16 367 $	32 919 $	66 212 $	133 176 $	267 864 $
16 %	2 100 $	4 411 $	9 266 $	19 461 $	40 874 $	85 850 $	180 314 $	378 721 $
17 %	2 192 $	4 807 $	10 539 $	23 106 $	50 658 $	111 065 $	243 503 $	533 869 $
18 %	2 288 $	5 234 $	11 974 $	27 393 $	62 669 $	143 371 $	327 997 $	750 378 $
19 %	2 386 $	5 695 $	13 590 $	32 429 $	77 388 $	184 675 $	440 701 $	1 051 668 $
20 %	2 488 $	6 192 $	15 407 $	38 338 $	95 396 $	237 376 $	590 668 $	1 469 772 $
21 %	2 594 $	6 727 $	17 449 $	45 259 $	117 391 $	304 482 $	789 747 $	2 048 400 $
22 %	2 703 $	7 305 $	19 742 $	53 358 $	144 210 $	389 758 $	1 053 402 $	2 847 038 $
23 %	2 815 $	7 926 $	22 314 $	68 821 $	176 859 $	497 913 $	1 401 777 $	3 946 430 $
24 %	2 932 $	8 594 $	25 196 $	73 864 $	216 542 $	634 820 $	1 861 054 $	5 455 913 $
25 %	3 052 $	9 313 $	28 422 $	86 736 $	264 698 $	807 794 $	2 465 190 $	7 523 164 $

MISE EN GARDE

Faites attention car l'effet de levier est un couteau à double tranchant. Bien que l'effet de levier soit une stratégie puissante, il peut également représenter un danger si vous ne faites pas le bon achat. Par exemple, si vous financez un immeuble à 90 % et que la valeur de celui-ci augmente de 10 %, votre rendement sera de 100 %. Par contre, s'il perd 10 % de sa valeur, votre perte sera de 100 %.

10

1 000 000 $ DE CONSEILS

Tous les immeubles que j'ai achetés représentaient tout de même au-delà de 14 000 000 $ que je possédais à un moment donné. Jamais je n'aurais pu obtenir autrement de tels résultats si je n'étais pas devenu un chasseur d'immeubles. Si je n'avais pas regardé, cherché, analysé, comparé, il m'aurait été impossible de repérer les super transactions que j'ai réussies, même si à certaines occasions la chance était de mon côté. D'une certaine façon, j'ai créé ma propre chance.

CRÉEZ VOTRE PROPRE CHANCE

Combien de fois des gens m'ont dit qu'ils espéraient être aussi chanceux que moi à repérer les super aubaines que j'ai achetées. La plupart de ces personnes n'ont même pas passé une seule heure à chercher, à analyser et à comparer des immeubles d'appartements, des édifices commerciaux ou même des terrains.

À vrai dire, je peux affirmer sans aucune prétention ni malice qu'aucune de ces personnes ne se serait rendu compte que ces immeubles étaient de véritables aubaines même s'ils leur avaient été offerts. La cause de leur aveuglement est qu'elles n'ont pas pris le temps de lire, de magasiner ou de comparer divers immeubles afin de développer les connaissances requises pour reconnaître une super aubaine.

Non, il n'est pas nécessaire d'avoir une intelligence supérieure à la moyenne, mais il faut de l'expérience et quelques connaissances. N'importe qui doté d'une intelligence moyenne peut acquérir les connaissances requises. Il existe sur le marché de nombreux livres, des séminaires de formation, des livres audio, des clubs d'investisseurs immobiliers grâce auxquels il est possible d'obtenir et d'apprendre toutes les informations et les connaissances nécessaires. Bref, tout ceci existe quelque part.

Ces connaissances peuvent être acquises facilement, mais il vous faudra y consacrer de votre temps. Vous devrez magasiner un peu. Il vous faudra passer du temps à comparer des triplex avec d'autres triplex, des 6 logements avec d'autres 6 logements, des 12 logements, des 24 logements, etc. Comparez des immeubles dans un même quartier, d'autres dans un secteur différent de la ville, choisissez de bons et des mauvais secteurs.

En d'autres mots, vous devez commencer à accumuler des données et des informations en ce qui a trait à différents styles et tailles d'immeubles dans toute votre ville. Vous commencerez ensuite à comprendre ce qui leur donne de la valeur. Il vous faudra comparer des centaines d'immeubles avant de commencer à bien connaître votre marché. C'est ce qu'on appelle dans le domaine faire du «*farming*».

Alors, à ce moment-là, vous serez en mesure d'établir rapidement ce qu'est une aubaine. Vous serez à la fois stimulé et anxieux. Il vous sera peut-être impossible de dormir jusqu'à ce que vous présentiez votre offre d'achat. Vous serez tenté d'en parler à vos parents et amis, mais ne le faites pas. Cela peut vous attirer des commentaires de jalousie, d'envie, de peur, etc.

En vérité, ces personnes ne possèdent probablement pas les connaissances requises pour faire l'achat d'immeubles et encore moins pour reconnaître une aubaine. Ne leur en parlez pas tant que vous n'avez pas mis la touche finale à la transaction. Faites-en part seulement à des gens qui ont les connaissances immobilières requises et qui peuvent bien vous conseiller.

Est-ce que tout ce travail et ces efforts en valent la peine? Laissez-moi vous poser la question différemment: Seriez-vous prêt à rechercher, magasiner, comparer des immeubles si je vous payais 100 000 $ pour 6 mois, ou 200 000 $ pour une année? Vous le feriez très certainement! Vous allez me dire: «Est-ce certain, est-ce tout à fait vrai?»

C'est exactement ce qui vous arrivera si vous vous encouragez à le faire pour vous-même, si vous travaillez aussi dur que je l'ai fait lors de mes débuts comme investisseur immobilier. Je dois vous dire que ce ne fut pas un travail pour moi, mais un véritable plaisir qui s'est transformé en une grande passion inépuisable. Vous devez prendre plaisir à ce que vous faites. L'argent ne doit pas être la seule motivation.

SE METTRE À L'ŒUVRE

Le plus grand problème auquel les gens font face est de démarrer. Pardonnez-moi de vous dire ceci, mais certains parmi vous ont mal à la tête juste à l'idée de décider s'ils doivent mettre sur leur salade de la vinaigrette à la française ou au roquefort. Et pourtant, vous croyez être une personne de décision.

Quelques-uns parmi vous ne font qu'analyser et ne passent pas à l'action. La vraie raison est que ces personnes n'ont pas les nerfs assez solides pour franchir l'étape de la décision. Vous vous dites que le marché est peut-être trop haut, que tout va s'effondrer alors que, pendant ce temps, les bonnes transactions vous passent sous le nez.

Vous rationalisez en vous disant :

« Je vais attendre que les conditions soient meilleures… »

« Je vais y penser encore un peu… »

« Je vais vérifier avec quelqu'un d'autre… »

« Ça ne s'est jamais fait auparavant… »

« Je ne sais pas… »

« Ce serait peut-être intelligent d'attendre et voir comment le marché va tourner… »

Quelques-uns parmi vous ont plus d'excuses ou d'alibis qu'un enfant que l'on surprend à fouiller dans le réfrigérateur.

En termes simples, on appelle ça « l'excusite ».

Certaines personnes souffrent même « d'excusite aiguë ». Elles associent leurs échecs à des éléments extérieurs à elles-mêmes et elles ne cherchent pas à se questionner.

La réponse est que si vous ne savez pas exactement où vous allez, vous n'irez jamais nulle part. Voici le problème : vous voulez tellement vous sentir sécurisé et protégé que vous êtes absolument effrayé à l'idée de faire le pas vers l'aventure et l'inconnu. Restez en sécurité si vous le désirez et n'espérez jamais aller plus loin que la petite position que vous avez actuellement.

Je n'essaie pas de vous insulter… vous savez très bien que je dis la vérité.

Personnellement, je préfère préserver une parcelle d'inconnu dans ma vie. Cela laisse de la place pour de l'autoanalyse qui peut m'aider à m'améliorer. Chers lecteurs, si vous insistez pour obtenir la sécurité à chaque occasion d'investissement, il vous serait préférable d'abandonner l'idée d'investir dans l'immobilier ou encore de vous lancer en affaires. Le risque fait partie de l'opportunité. Il peut cependant être calculé et on peut le minimiser au point où il sera presque nul.

L'INDÉCISION EST LA MARQUE DES ESPRITS PEUREUX

Il ne faut surtout pas attendre que tous les feux de circulation soient verts avant de se lancer.

COMMENT SE SORTIR DE LA PARALYSIE DE L'ANALYSE ?

Vous devez premièrement apprendre qu'il est primordial de prendre une décision pour être en mesure de démarrer. Vous devez pouvoir prendre des décisions sans connaître à 100 % tous les faits, les figures et les données, lesquels vous diront avec exactitude ce vers quoi vous vous dirigez.

Pourquoi ? Parce que vous aurez besoin de plus qu'une vie pour recueillir toutes les données nécessaires pour peser les pour et les contre ainsi que toutes les variables et possibilités qui pourraient se produire. Il n'y a aucune façon de savoir avec une absolue certitude si vous arriverez à la destination désirée.

Je ne vous dis pas, bien sûr, de ne rien analyser ou considérer mais après un certain temps, il faut qu'une décision se prenne. Sinon l'opportunité passe et on a aura manqué le bateau.

Il me semble que nous errons dans les cégeps et les universités. Nous accordons tellement d'importance à l'aspect technique des affaires que, quelque part, nous en avons complètement perdu la vision globale : la perspective. Nous manquons de vision. Il faut être le plus visionnaire possible. Il est nécessaire de voir ce que les autres ne voient pas.

Le problème avec les entreprises d'aujourd'hui est qu'elles sont dirigées par des gens trop rationnels : des comptables, des avocats. Ils sont excellents dans leur champ d'activité, mais lorsque le temps vient d'être visionnaire, c'est une autre histoire.

Bill Gates, Pierre Péladeau, Gaétan Frigon, Michael Dell, Paul Desmarais (le père), Guy Laliberté, pour ne nommer que ceux-là, sont des visionnaires. Regardez l'énorme succès obtenu par Gaétan Frigon avec cette institution gouvernementale désuète qu'était la Société des alcools du Québec. Il en a fait un endroit où il est agréable d'aller. Il a changé la façon de faire des employés. Il a vu et compris que le client est important. Résultat : une augmentation phénoménale des ventes et des profits. C'est ce qu'on appelle **être visionnaire.**

Si vous voulez vraiment faire le million de dollars que le titre de ce chapitre propose, alors suivez cet avis :

PRENEZ LA DÉCISION
DE DÉMARRER IMMÉDIATEMENT

Une fois que la décision est prise, la première étape pour gagner cette somme d'argent dans une période de votre choix, et selon vos objectifs, est si simple que cela ressemble à un enseignement de première année. Il faut :

CHERCHER, CHERCHER, CHERCHER

REGARDER, REGARDER, REGARDER

COMPARER, COMPARER, COMPARER

ET SURTOUT, FAIRE DES OFFRES D'ACHAT !

Il n'y a aucun autre substitut.

VOTRE FORTUNE EST DANS VOTRE PROPRE COUR

Les questions logiques maintenant sont : Où puis-je chercher ? Quoi regarder ? Quoi comparer ? Sur quels immeubles faire mes offres d'achat ?

La meilleure réponse à ces questions peut venir de la légende d'Ali Hafed, un habitant de l'ancienne Perse, qui vivait à proximité de l'Indus, un fleuve d'Asie. Il était un homme riche et satisfait. Il possédait une énorme ferme avec des vergers, des champs à perte de vue et de nombreux jardins. Un jour, un moine bouddhiste vint le visiter et lui raconta une histoire inspirante sur la création du monde. À cette époque, on fabriquait beaucoup de métaux et de pierres précieuses, des diamants, entre autres.

Le moine informa Ali Hafed de la grande valeur des diamants même si ces derniers sont de petite taille. À l'écoute de ce récit, il parut insatisfait car même s'il était très riche, il ne possédait aucun diamant. Le lendemain, il demanda au moine où il pouvait trouver ces diamants. Après avoir reçu quelques instructions un peu vagues, Ali Hafed vendit sa ferme, demanda à des voisins de s'occuper de sa famille et il se mit à la recherche de diamants avec l'argent qu'il avait reçu de la vente de sa ferme.

Ses recherches l'amenèrent au Kenya, en Palestine, en Europe et en Espagne, mais elles furent vaines. Lors de son séjour en Espagne, Ali Hafed était devenu pauvre, déçu et frustré. Il s'habillait de vieux vêtements et il ne put supporter la déception de ses recherches infructueuses. Découragé, il mit fin à ses jours.

De retour en Inde, le même moine bouddhiste vint visiter l'homme qui avait acheté la ferme d'Ali Hafed. Il vit un diamant sur la table et lui demanda si Ali était de retour. Lorsqu'il apprit que le diamant avait été découvert dans la cour de l'ancienne demeure d'Ali, il se rendit avec le nouveau propriétaire à l'extérieur de la maison et il vit une énorme quantité de diamants. La légende dit que c'est ainsi que fut découverte la mine Golconde, apparemment la plus magnifique et la plus grosse mine de diamants jamais découverte dans le monde entier.

La leçon à tirer de cette légende est la suivante : Commencez donc vos recherches dans votre propre cour même si cela semble toujours plus beau dans celle du voisin. Entamez vos recherches dans la ville où vous habitez. Qu'elle soit de 10 000, 500 000, d'un million d'habitants, ou encore plus, vous trouverez tous les diamants que vous désirez dans votre propre cour.

Suivez les méthodes que je vous enseigne dans ce livre. Elles fonctionnent très bien et elles ont fait leurs preuves.

LES INGRÉDIENTS D'UNE AUBAINE

« Que faut-il chercher ? », cette question peut se résumer en 6 sous-questions :

1. La propriété est-elle sous évaluée ?
2. A-t-elle un potentiel d'amélioration ?
3. Les loyers sont-ils trop bas ?
4. Les dépenses sont-elles trop élevées ?
5. L'utilisation de la propriété peut-elle être changée ?
6. Puis-je l'acheter avec peu de comptant ?

Une combinaison de ces 6 points est préférable. Plus vous pourrez en réunir, meilleure sera votre position. Si vous cherchez ardemment, vous pourrez trouver des aubaines contenant ces éléments. Croyez-moi, il y en a partout et en tout temps, quel que soit l'état de l'économie.

Les aubaines ne sont que rarement publicisées. Vous devez apprendre à les reconnaître. J'ai déniché plusieurs aubaines qui nécessitaient des rénovations, dont les loyers étaient trop bas et les dépenses trop élevées. Je les ai achetées avec peu de comptant et, dans plusieurs cas, sans aucun comptant. Lorsque vous trouvez une aubaine possédant un ou plusieurs des 6 critères qui précèdent, vous avez alors la possibilité de l'améliorer et d'en augmenter la valeur. Après quoi, il vous sera possible de la financer à nouveau et de récupérer le comptant investi ou de la revendre avec profit. Avec cet argent, vous pouvez refaire la même chose avec un ou d'autres immeubles. Pour y parvenir, vous devez chercher. Lorsque vous trouverez ce genre d'immeuble, vous devrez être en mesure de voir son potentiel et de savoir comment faire le maximum pour l'obtenir.

À la question: « Quoi comparer? » Voici une liste des points à comparer.

1. le prix d'immeubles comparables;
2. le coût au pied carré;
3. les multiplicateurs de revenus bruts;
4. les multiplicateurs de revenus nets;
5. les taux de capitalisation;
6. les dépenses;
7. le prix des logements;
8. la comparaison des évaluations municipales;
9. les conditions et l'état des immeubles;
10. la qualité des locataires;
11. l'âge ou la date de construction des immeubles;
12. la qualité des secteurs;
13. les projets futurs des secteurs;
14. pourquoi les vendeurs vendent-ils?

Pour bien résumer ce chapitre de conseils pratiques, vous devez pouvoir reconnaître qu'il y a deux catégories d'aubaines:

LA PREMIÈRE CATÉGORIE

La catégorie des invraisemblances : prix beaucoup plus bas que celui du marché. Aussi incroyable que cela puisse paraître, deux immeubles absolument identiques, côte à côte, se vendent à des prix extrêmement différents. Les prix peuvent varier de 10 %, 20 % et même 50 %. Donc, pour trouver une super aubaine, vous devez absolument consacrer du temps à chercher ces immeubles. Il vous faut rechercher les points mentionnés plus haut.

Ce sont ces critères qui déterminent si c'est une aubaine ou non. Lorsque vous repérerez ce genre d'immeubles, vous allez le reconnaître immédiatement. Par la suite, vous devrez agir très rapidement, car ce qui est une aubaine pour vous l'est aussi pour d'autres. Laissez-moi vous dire que les aubaines ne restent pas longtemps sur le marché.

LA DEUXIÈME CATÉGORIE

Ce sont les immeubles qui démontrent un potentiel. Ce genre d'immeubles est sur le marché mais personne, sauf vous, ne voit le potentiel qu'il représente. Cette sorte d'immeubles a besoin de nouveaux apports ou d'une combinaison de nouveaux éléments. Ne laissez pas le mot CRÉATIVITÉ vous effrayer si vous ne vous considérez pas créatif vous-même. Le type de créativité nécessaire dans l'immobilier peut s'apprendre facilement.

Le genre de créativité dont je parle ici, et qui fait qu'une aubaine potentielle devient réalité, se résume à des choses comme le nettoyage, la peinture, de légères rénovations en superficie, des tapis, etc. En fait, il s'agit de rendre l'immeuble attrayant afin que les gens désirent y rester. Ce peut être aussi un changement de vocation : adoption de meilleures techniques de gestion qui diminuent les frais d'opération, et qui, en conséquence, font augmenter la valeur de l'immeuble. Cela s'appelle de « l'inflation forcée ».

Est-ce que cela en vaut réellement la peine ?

Supposons que vous passiez une année ou deux à chercher, à analyser et à comparer. À la fin de la seconde année, vous dénichez une ou deux aubaines que vous achetez. Grâce à vos efforts et à l'accumulation de vos connaissances, vous réussissez à générer un profit de 200 000 $, soit en accroissement d'équité ou en profit lors de la revente. Que répondriez-vous à cela ?

11

LA PROMESSE D'ACHAT OU L'OFFRE D'ACHAT

Vous trouverez ci-dessous un modèle d'offre d'achat très simple que j'utilise encore régulièrement. Il en existe différents modèles sur le marché que l'on peut trouver dans les papeteries ou les librairies. Les agents d'immeubles utilisent ceux de l'ACAIQ.

Le modèle que je vous propose ici ne vous est fourni qu'à titre d'exemple. Je vous recommande d'ailleurs fortement de le faire analyser par un avocat ou un notaire afin de voir s'il contient toutes les clauses qui vous conviendront.

N'oubliez surtout pas qu'une promesse d'achat est un contrat signé entre deux personnes consentantes et qu'elle a force de loi. Alors, soyez très prudent avant d'en signer une. Assurez-vous qu'elle comprend toujours des clauses conditionnelles qui vous permettront de vous dégager de cette promesse si quelque chose ne fait plus votre affaire ou ne vous convient plus.

EXEMPLE DE PROMESSE D'ACHAT

Par la présente, (nom de l'acheteur), et/ ou ses désignés, ayant sa place d'affaires (ou domicilié) au (adresse de l'acheteur) promet d'acheter de (nom et adresse complète du vendeur), aux prix et conditions suivantes, l'immeuble portant les numéros civiques (adresse complète de l'immeuble) et ayant la désignation cadastrale (numéro de cadastre complet), ayant une superficie de (superficie du terrain) et toutes les constructions y érigées dessus.

1. PRIX ET MODE DE PAIEMENT

Le prix sera de (inscrire le prix en lettres), (puis l'inscrire en chiffres, entre parenthèses) que l'acheteur consent à payer comme suit :

1.1 Lorsque l'acheteur fera connaître sa satisfaction aux conditions de cette promesse d'achat, il remettra au notaire instrumentant, le notaire (nom du notaire), un chèque de $ $ $, en fidéicommis. Lors de la signature de l'acte de vente, cette somme sera imputée au prix d'achat.

1.2 Lors de la signature de l'acte de vente, l'acheteur déboursera une somme additionnelle de (inscrire le montant en lettres), (inscrire le montant en chiffres).

1.3 Cette promesse d'achat est conditionnelle à ce que l'acheteur obtienne un financement hypothécaire d'un montant nécessaire à un taux et à des termes satisfaisants pour compléter cette transaction. Si l'acheteur ne peut obtenir le financement désiré dans les trente (30) jours suivant l'acceptation de cette promesse d'achat, elle deviendra nulle et non avenue, sans recours entre les parties, et le notaire pourra remettre le dépôt initial à l'acheteur, effectué avec la présente offre d'achat.

2. CONDITIONS

2.1 L'acte de vente devra être rédigé en français et signé devant le notaire (nom du notaire) dans les trente (30) jours suivant la satisfaction et la levée des conditions de cette promesse d'achat.

2.2 Le propriétaire vendeur devra fournir au moment de la vente tous les titres de propriétés qu'il peut avoir en sa possession, un certificat de localisation récent (pas plus de 12 mois de la date des présentes).

2.3 Le propriétaire vendeur devra par déclaration dans l'acte de vente ou par affidavit, qu'il devra remettre au notaire, établir qu'il est résident canadien, pour fins d'impôt fédéral et provincial, à défaut de quoi les dispositions des lois fiscales concernant la rétention des impôts minimums requis par la loi s'appliqueront à même les montants perçus par le notaire au moment de l'acte de vente.

2.4 L'acheteur devra assurer l'immeuble à sa pleine valeur, et cela aux bénéfices et à la satisfaction des créanciers, et ce, en date de la signature de l'acte de vente

2.5 L'acheteur paiera, le cas échéant, les droits de mutation, et les taxes sur les produits et services, les taxes de vente provinciales qui s'appliqueront (TPS et TVQ). L'acheteur assumera les frais de l'acte de vente et son enregistrement. Les frais de remboursement de tous les soldes hypothécaires existant, s'il y a lieu, seront à la charge du vendeur.

2.6 L'acheteur deviendra propriétaire à la date de la signature de l'acte de vente.

2.7 L'acheteur, suite à la réception complète de tous les documents relatifs aux revenus et dépenses, aura 30 jours pour s'en déclarer satisfait. Le vendeur aura 7 jours ouvrables pour remettre les documents à l'acheteur ou ses conseillers.

2.8 Le propriétaire vendeur déclare que la propriété n'est pas isolée à la mousse d'urée formaldéhyde et que l'immeuble n'est pas affecté par la pyrite.

2.9 Tous les ajustements relatifs aux revenus et dépenses de la propriété et toutes les répartitions de quelque nature que ce soit se feront à la date de la signature de l'acte de vente.

2.10 Les articles suivants sont compris dans le prix de vente :

- toutes les installations permanentes d'électricité, de chauffage, de plomberie et de ventilation ;
- tous les meubles meublants et les équipements, tous les articles décoratifs, les enseignes, les équipements de maintenance qui font partie intégrante de la propriété, ou qui sont devenus des immeubles par destination, et qui servent à la location spécifique et spécialisée de l'immeuble.

2.11 Dans les cinq (5) jours de l'acceptation des présentes, le propriétaire vendeur remettra à l'acheteur un inventaire complet et détaillé de tous les biens qui lui appartiennent et qui sont inclus dans le prix de vente. Cet inventaire devra être signé par le propriétaire vendeur et devra être accepté par l'acheteur dans les huit (8) jours de la remise de cet inventaire signé, sinon cette promesse sera nulle et non avenue.

2.12 Le propriétaire vendeur déclare par la présente que tous les biens, équipements et articles compris dans le prix de vente sont libres de tous liens, charges, hypothèques ou privilèges, sauf ce qui suit :

2.13 Le propriétaire vendeur déclare qu'il n'a reçu aucun avis ou poursuite de la part d'une autorité compétente quelle qu'elle soit et déclare que la propriété ci-haut mentionnée est en bonne condition de fonctionnement, qu'elle est et sera conforme à toutes les lois gouvernementales, et ce, jusqu'à l'acte notarié, à défaut de quoi des mesures seront prises aux dépens du propriétaire vendeur. Il déclare ainsi qu'aucun avis de non-conformité n'est enregistré contre la propriété.

2.14 Le propriétaire vendeur déclare n'avoir connaissance d'aucun facteur se rapportant à l'immeuble, susceptible, de façon significative, d'en diminuer la valeur ou les revenus ou d'en augmenter les dépenses.

2.15 Le propriétaire vendeur déclare que l'immeuble faisant partie de la présente promesse d'achat est conforme aux lois et règlements relatifs à la protection de l'environnement.

2.16 Le propriétaire vendeur accorde à l'acheteur une période de trente (30) jours suivant l'acceptation de cette promesse d'achat pour faire des visites et des examens des lieux, des analyses et des vérifications des équipements, des revenus et dépenses, des contrats signés pour l'immeuble concerné, et tout ce qui est nécessaire à l'exploitation dudit immeuble. Dans ce délai de trente (30) jours, l'acheteur devra faire connaître sa satisfaction par écrit, sinon cette promesse d'achat deviendra nulle et non avenue et sans recours entre les parties.

Dans ce même délai, le notaire de l'acheteur devra procéder à l'examen des titres et devra confirmer son entière satisfaction sinon il faudra remédier aux lacunes ou cette promesse deviendra nulle et non avenue.

2.17 Il est de plus convenu que cette promesse d'achat et cette transaction sont régies sous les lois de la province de Québec.

La présente promesse d'achat est irrévocable jusqu'à 16 h le (inscrire la date). Si elle n'est pas acceptée dans ce délai, elle sera nulle et non avenue. Par contre, si elle est acceptée dans ce délai, cette promesse d'achat constituera un contrat liant les parties.

Le soussigné acheteur reconnaît avoir lu, compris et reçu copie de cette promesse d'achat.

SIGNÉ À MONTRÉAL (ou votre ville), ce (date)…

Signature de l'acheteur.

Signature du témoin.

ACCEPTATION PAR LE PROPRIÉTAIRE VENDEUR

Le propriétaire vendeur dûment mandaté, accepte la promesse d'achat et promet de vendre l'immeuble ci-décrit aux prix et conditions mentionnés aux présentes.

Mettre la date et l'heure

Puis apposer la signature du vendeur

ACCUSÉ DE RÉCEPTION

Les soussignés reconnaissent avoir reçu une copie de la promesse d'achat acceptée ci- dessus.

Signature de l'acheteur et inscrire la date

Signature du vendeur et inscrire la date

LES CLAUSES À TOUJOURS INCLURE DANS UNE PROMESSE D'ACHAT

Gardez-vous toujours la possibilité de pouvoir changer d'idée en incluant le plus de clauses conditionnelles possible. Toujours inclure les clauses suivantes dans toutes vos offres d'achat.

Cette offre d'achat est conditionnelle à :

1. La visite et l'inspection des lieux à la satisfaction de l'acheteur dans les (nombre de jours) suivant l'acceptation de cette offre ;
2. La visite des lieux par l'acheteur ou par toute autre personne désignée par l'acheteur en tout temps suivant un avis de 24 heures, et ce, jusqu'à l'acte notarié ;
3. Un rapport d'un inspecteur de bâtiments dans les (nombre de jours) suivant l'acceptation de cette promesse d'achat ;
4. Un test de pyrite négatif dans les (nombre de jours) suivant l'acceptation de cette promesse d'achat ;
5. L'analyse des revenus et dépenses, des baux, des contrats, dépôts de banque, des états de banque, bref tous les documents administratifs et d'opérations courantes relatifs à la propriété dans les (nombre de jours) suivant l'acceptation de cette promesse d'achat ;

6. L'obtention d'une hypothèque (spécifiez le rang de l'hypothèque) d'un montant de$$$$$$$ dans les (nombre de jours) de l'acceptation des présentes.

Le tout à la satisfaction de l'acheteur qui devra en aviser le propriétaire vendeur dans les cinq (5) jours suivant la réception des rapports ou à la fin des analyses.

La date limite pour l'acceptation de cette offre d'achat constitue un délai de rigueur.

Pour chacune des clauses conditionnelles précédentes, il vous est possible en tout temps de changer d'idée. Il est très important de pouvoir le faire parce qu'une fois toutes les clauses satisfaites, il vous sera impossible de ne plus acheter sinon vous vous exposez à des poursuites judiciaires pour bris de contrat.

MAINTENANT QUE L'OFFRE EST ACCEPTÉE, QUOI FAIRE ?

1. Remettre une copie de la promesse d'achat au vendeur, à l'agent d'immeubles s'il y a lieu et au notaire.
2. Révisez la promesse d'achat et faites-vous une liste des choses à faire pour vous et des documents à recevoir du vendeur.
3. Faites les démarches nécessaires pour le financement.
4. Faites les démarches relativement aux conditions de la promesse d'achat.
5. Préparez-vous un « brouillon » des ajustements chez le notaire pour savoir exactement combien d'argent vous aurez besoin lors de la signature chez le notaire.
6. Une semaine avant la signature, assurez l'immeuble, révisez les ajustements avec la compagnie d'électricité et avec tous les autres services relativement au changement de propriétaire.
7. Deux jours avant la transaction, demandez au notaire de vous télécopier une copie des ajustements pour ne pas être pris par surprise à la signature et savoir exactement à quoi vous en tenir.
8. Une journée avant la signature, allez vérifier la propriété de nouveau. Allez faire certifier le chèque nécessaire à la transaction.

9. À la signature, révisez les documents avec le notaire, signez les documents, obtenez les clés de la propriété. Allez avec le vendeur voir la propriété afin qu'il vous indique des informations essentielles telles que : où est située l'entrée d'eau, bref tous les renseignements utiles sur la propriété. Prenez tous les baux et documents relatifs à la propriété.
10. Remettez une lettre signée par le vendeur ou le notaire à chaque locataire les avisant que vous êtes le nouveau propriétaire. Inscrivez-y toutes vos coordonnées.

Dans une transaction, les frais suivants sont à la charge soit du vendeur, soit de l'acheteur ou répartis entre les deux au prorata du nombre de jours écoulés dans l'année :

	ACHETEUR	VENDEUR	PRORATA
Taxes			x
Assurances			x
Contrats de location			x
Droit de mutation	x		
Quittances d'hypothèques		x	
Notaires	x		
Inspection du bâtiment	x		
Pyrite		x	
Certificat de localisation		x	
Loyers			x

12

UTILISEZ LE PILOTE AUTOMATIQUE

Maintenant que vous avez accumulé toutes ces connaissances, que faites-vous avec ? Vous avez appris beaucoup de choses au sujet de l'investissement immobilier. Vous avez appris à acheter des immeubles avec peu ou pas de comptant. Vous avez étudié comment sélectionner des propriétés à revenus. Vous avez aussi appris qu'il faut éviter les déficits de caisse (*negative cash-flow*)[1] et comment structurer votre financement afin d'obtenir un surplus de caisse.

Vous avez également appris à inclure des clauses de protection dans vos offres d'achat. Ce livre vous a montré comment reconnaître des vendeurs motivés, flexibles ou qui ont ces deux qualités, et comment repérer de bonnes transactions. Je vous ai démontré comment il vous est possible de devenir financièrement indépendant grâce à l'immobilier.

Que fait-on maintenant que l'on possède tous ces trucs, toutes ces connaissances ? Je réalise que ce n'est pas toujours facile d'arrêter le mouvement infernal de nos activités quotidiennes et d'y incorporer un projet de l'ampleur de l'investissement immobilier, même si vous le voulez vraiment et que vous êtes convaincu que c'est ce que vous devez faire.

Vous êtes conscient de la valeur inestimable du temps. C'est d'ailleurs ce qui nous manque le plus et nous empêche très souvent d'aller de l'avant avec la plupart de nos projets. Il est maintenant le temps de penser à trouver une façon de prévenir ce problème, particulièrement dans l'immobilier avec toutes les connaissances que vous possédez maintenant.

À ce stade-ci, vous devriez être en mesure d'élaborer un « questionnaire téléphonique » que vous utiliserez avec les vendeurs afin d'obtenir

---

1. Flux de trésorerie négatif, des sorties nettes de fonds : Flux de trésorerie dans lequel les sorties de fonds excèdent les rentrées de fonds.

les informations relatives à un immeuble. La prochaine étape sera de commencer à faire des offres d'achat afin de vous exercer et vous familiariser avec le processus des offres d'achat. C'est un véritable programme d'exercices. De même que vous devez entraîner votre corps pour garder la forme, vous devez aussi vous pratiquer à faire des offres d'achat.

Vous les ferez pour la simple raison d'acquérir de l'expérience. Vous découvrirez les réactions d'autres agents et de vendeurs d'immeubles lorsque vous ferez des offres à des prix trop élevés, et parfois même à des prix ridicules. Vous verrez leurs réactions lorsque vous leur demanderez de garder un solde de prix de vente. Vous verrez les réactions des agents d'immeubles quand vous inclurez des clauses dont ils n'ont pas l'habitude d'entendre parler. Vous apprendrez les différentes réactions auxquelles vous attendre quand vous ferez des offres à des prix auxquels personne ne s'attend.

Afin de vous familiariser avec l'immobilier, vous allez faire des offres sur 10 immeubles différents. Ces offres devraient être si basses que personne ne devrait en accepter une seule. Ce que vous êtes en train de faire est simplement d'acquérir de l'expérience dans le processus des offres d'achat. Assurez-vous d'y inclure des clauses échappatoires qui vont vous permettre de pouvoir vous retirer et mettre fin au contrat au cas où, quelle que soit la raison, vous ne désirez plus acheter (voir chapitre 11 sur les offres d'achat).

Le but est strictement de commencer à comprendre le processus de négociation qui existe dans l'acquisition d'immeubles à revenus. Plus vous ferez d'offres, plus vous deviendrez à l'aise, et meilleures seront vos chances de réussite. Faire de bonnes offres d'achat est une des étapes les plus importantes dans le processus d'acquisition. Vous devez absolument acquérir le plus d'expérience possible et découvrir les différentes réactions des intervenants, soit les vendeurs ou les agents d'immeubles.

MAINTENANT que vous avez appris à piloter seul, vous devrez commencer à utiliser le pilote automatique pour être en mesure d'atteindre votre destination, soit l'atteinte de vos objectifs. Vous devez apprendre à créer une machine à générer des revenus, mais vous devrez aussi capitaliser sur les connaissances que vous venez d'apprendre et sur vos talents. Votre plan doit être préparé de façon à ce que vous soyez à l'aise avec vos objectifs et la croissance de votre portefeuille immobilier.

Il vous faudra apprendre à utiliser le pilote automatique et le programmer afin qu'il vous mène à destination de façon sécuritaire, c'est-à-dire en générant des revenus et en vous assurant une croissance. L'utilisation du pilote automatique ne veut pas dire que vous devez quitter votre siège de pilote, vous asseoir en première classe et attendre d'arriver à destination. Cela veut dire que vous pourrez utiliser votre temps à faire autre chose à la condition que vous demeuriez assis à votre siège de pilote afin de réagir à toute éventualité.

Si vous croyez qu'à un âge certain vous pourrez confier à quelqu'un d'autre la responsabilité de vos capitaux en croyant que cette personne pourra performer autant que vous ; alors vous ne comprenez absolument rien à cette méthode d'investissement immobilier qui consiste à FAIRE LE PROFIT À L'ACHAT. De plus, cela démontrerait également que vous ne connaissez pas la nature humaine.

Vos meilleurs rendements resteront à leur plus haut, tant et aussi longtemps que vous en garderez le contrôle. Peu importe où et comment vous investissez votre argent, vous devez absolument en garder le contrôle. Plus vous vous éloignerez du contrôle de votre argent, moins vous pourrez espérer avoir des rendements maximums, et moins vous gagnerez.

Vous devez investir votre argent au mieux de vos intérêts afin d'atteindre la réussite financière. Si vous investissez avec succès, vous :

1. aurez des revenus supérieurs ;
2. aurez des « équités » en croissance constante ;
3. capitaliserez sur vos emprunts hypothécaires ;
4. posséderez une connaissance complète des offres d'achat.

Quatre facteurs sont importants dans l'investissement immobilier :

1. la valeur de la propriété ;
2. le rendement de votre argent ;
3. le statut de vos « équités » ;
4. l'emplacement des immeubles.

Tout au long du processus d'investissement immobilier, vous devriez en apprendre le plus possible relativement à ces 4 considérations.

Voyons maintenant comment mettre votre système en mode de pilote automatique.

Je réponds à cette question en disant que tout cela se résume à de la discipline et à de l'organisation. Comme je me permets souvent de le dire lors de mes séminaires de formation : « Il est plus facile de courir dix fois un seul kilomètre que d'en courir dix en une seule fois ! »

Regardez les athlètes, les musiciens, les artisans : pour devenir bon dans une discipline quelconque, il faut répéter les mêmes gestes ou mouvements des milliers et des milliers de fois avant de maîtriser parfaitement cette discipline. Pour apprendre à jouer d'un instrument de musique, il est préférable de pratiquer une demi-heure par jour que de faire 3 heures de pratique en une seule journée.

Les mêmes règles s'appliquent dans l'investissement immobilier. Il vous faudra être constant et régulier dans vos recherches, vos analyses et vos offres d'achat. Soyez certain qu'après un certain temps vous aurez des résultats. C'est la loi des nombres qui parle. Si vous évaluez 100 immeubles, vous ferez probablement des offres sur 30 d'entre eux, et vous n'en achèterez probablement qu'un seul. Donc, plus vous évaluerez et plus vous ferez d'offres d'achat, plus vos chances de réussite augmenteront.

Demandez à un agent d'assurance comment on les entraîne à faire de la prospection. Sur 100 personnes contactées, à chaque fois qu'il se fait répondre non merci, il sait très bien qu'il se rapproche d'un oui. C'est la loi de la moyenne en action et il en est ainsi quelle que soit la qualité du vendeur.

Dans le but de vous aider à mettre en marche votre pilote automatique, vous lirez dans les pages suivantes le résumé d'un programme de recherche et un aide-mémoire qui vous suggéreront une méthode de travail s'échelonnant sur une période de trois mois.

Après cette période de trois mois, vous devriez être en mesure de pouvoir programmer votre propre pilote automatique selon vos buts à atteindre.

ALLONS-Y
QU'EST-CE QUE JE FAIS DEMAIN MATIN ?

AIDE-MÉMOIRE

PREMIER MOIS

1. Rencontrez un ou plusieurs agents d'immeubles.
    - Renseignez-vous sur différents secteurs de la ville ;
    - Posez-lui le plus de questions possible relativement au marché ;
    - Demandez-lui des « listings[2] » afin de vous familiariser.
2. Rencontrez un banquier, un notaire.
3. Choisissez-vous trois ou quatre secteurs fermes.
    - Visitez ces secteurs au moins une fois par semaine afin de bien les connaître ;
    - Familiarisez-vous avec les transports, les écoles, l'emploi, etc. ;
    - Mettez-vous au courant du genre de propriété qui prédomine dans ce secteur.
4. Rencontrez et parlez avec les gens du secteur pour avoir de l'information.
    - Faites en sorte de connaître le ratio de locataires et de propriétaires ;
    - Informez-vous sur les ventes et la location ;
    - Faites en sorte de connaître les prix de vente et de location.
5. Lisez la section « immeubles » des annonces classées un minimum de 30 minutes par jour, au moins 3 fois par semaine.
    - Utilisez un marqueur jaune pour déterminer les annonces qui vous intéressent ;

---

2. Fiche descriptive, inscription : Fiche sur laquelle un courtier immobilier présente la description d'un bien faisant l'objet d'un contrat de courtage immobilier. Les renseignements sont obtenus auprès du propriétaire et ont trait le plus souvent aux lieux, aux dimensions et au nombre de pièces d'un bâtiment ainsi qu'aux particularités que le bien peut présenter.

- Téléphonez et évaluez le vendeur en utilisant le formulaire « analyse de propriété » ;
- Fixez une visite ;
- Pour vous familiariser, visitez au moins 20 propriétés avant de faire votre première offre d'achat. Après quoi, vous pourrez faire une offre sur celles qui vous intéressent.

6. Établissez-vous un crédit.
   - Si vous n'avez pas de cartes de crédit, procurez-vous-en une ;
   - Si vous en avez déjà, faites-en augmenter la limite ;
   - Négociez une marge de crédit ou une protection de découvert avec votre banque ;
   - Si votre crédit est insuffisant, bâtissez-le selon la méthode décrite dans ce livre.
7. Vérifiez votre crédit.
   - Demandez à Equifax et à TransUnion, une copie de votre dossier de crédit. C'est gratuit ;
   - Si quelque chose n'est pas exact, faites-le corriger.
8. Visite au palais de justice et à l'hôtel de ville.
   - Allez au bureau d'enregistrement des droits immobiliers afin de vous familiariser avec ce domaine ;
   - À l'hôtel de ville, parlez aux gens de taxation.
9. Faites au moins quatre offres d'achat.
10. Consacrez 30 minutes par jour durant 2 semaines à relire les notes de ce séminaire.
11. Faites-vous imprimer des cartes professionnelles qui vous présenteront comme investisseur immobilier.
    - Affichez-les sur des babillards dans les endroits publics ;
    - Donnez-en aux gens que vous connaissez et que vous rencontrez.
12. Recherchez au moins 4 autres investisseurs immobiliers.
    - Contactez-les par téléphone ;
    - Établissez une relation cordiale avec eux ;
    - Demandez-leur des conseils.

DEUXIÈME MOIS

1. Circulez dans vos « secteurs fermes » au moins une fois par semaine.

- Continuez à poser des questions et observez le secteur ;
- Offrez une récompense de 100 $ aux gens qui vous suggéreront des propriétés que vous finirez par acheter.

2. Organisez une réunion avec votre banquier.

- Discutez avec lui des politiques de la banque relativement aux prêts hypothécaires ;
- Entretenez une relation régulière avec lui.

3. Rencontrez un ou des courtiers en financement.

4. Lisez la section de l'immobilier dans les annonces classées des journaux au moins 30 minutes par jour.

5. Faites des visites de propriétés.

6. Faites des offres d'achat.

7. Chaque jour, révisez vos buts. Corrigez-les s'il y a lieu.

8. Fixez des dîners avec d'autres investisseurs immobiliers avec lesquels vous avez pris contact.

- Tenez-vous au courant des tendances du marché et de ce qui se passe dans le domaine de l'immobilier en général ;
- Développez une relation amicale.

TROISIÈME MOIS

1. Circulez dans vos « secteurs fermes » au moins une fois par semaine.

2. Reprenez contact avec le ou les banquiers.

3. Lisez la section « immobiliers » des annonces classées un minimum de 30 minutes par jour et téléphonez aux vendeurs.

4. Faites un minimum de 12 offres d'achat.

5. Révisez vos buts. Respectent-ils vos prévisions dans le temps ? Sont-ils réalistes ?

RETENEZ CECI

La chose la plus importante à faire pour vous-même est de prendre un engagement ferme relativement à votre succès. Ceci ne veut pas dire de passer tous vos temps libres à travailler comme investisseur immobilier ou d'en développer une véritable obsession. Si vous appliquez consciencieusement les techniques et les stratégies que vous aurez apprises dans ce livre, vous devriez être en mesure d'acheter votre première propriété dans les prochains 50 jours. Si votre but est d'être capable de prendre votre retraite et de quitter votre occupation actuelle d'ici les 4 ou 5 prochaines années, vous êtes sur la bonne voie.

PROGRAMME DE RECHERCHE

CHERCHER, CHERCHER, CHERCHER

REGARDER, REGARDER, REGARDER

COMPARER, COMPARER, COMPARER

1. LES AGENTS D'IMMEUBLES
   - En voir plusieurs à la fois;
   - Les informer sur le genre de propriétés que vous recherchez;
   - Faites-leur savoir que vous êtes un acheteur sérieux.

2. SURVEILLEZ LES ANNONCES CLASSÉES DANS LES JOURNAUX

3. LES BUREAUX D'ENREGISTREMENT DES DROITS IMMOBILIERS

4. PUBLIEZ VOS PROPRES ANNONCES DANS LES JOURNAUX
   - Investisseur privé intéressé à acheter immeubles à revenus et maisons unifamiliales.

5. REPÉREZ DES IMMEUBLES QUI SEMBLENT INTÉRESSANTS
   - Trouvez les propriétaires, contactez-les et faites-leur des offres.

6. LAISSEZ SAVOIR À TOUTES VOS CONNAISSANCES QUE VOUS ÊTES À LA RECHERCHE D'IMMEUBLES

7. CÔTOYEZ LE PLUS DE GENS POSSIBLE DANS LE DOMAINE DE L'IMMOBILIER

8. LES INGRÉDIENTS D'UN BON ACHAT, D'UNE AUBAINE

- Propriété sous-évaluée ;
- Avec un bon potentiel pour amélioration (*upgrading*) ;
- Avec un loyer trop bas ;
- Avec des dépenses trop élevées ;
- Offrant la possibilité de changer l'usage de base ;
- Qui requiert pas ou peu de comptant ;
- LES VENDEURS MOTIVÉS.

9. LES POINTS D'ANALYSE ET DE COMPARAISON

- Le coût par unité ;
- Trouvez le revenu moyen dans le secteur ;
- Comparez les dépenses ;
- Comparez les prix ;
- Comparez les conditions des différents édifices.

10. TOUJOURS DEMANDER AU VENDEUR POURQUOI IL VEND

11. RÈGLE 1 : L'EMPLACEMENT
RÈGLE 2 : LES CONDITIONS DE VENTE

12. TOUJOURS UN PRIX ENTRE 20 ET 30 % PLUS BAS QUE LE PRIX DEMANDÉ

13. TOUJOURS FAIRE DES OFFRES CONDITIONNELLES

14. LES POINTEURS[3] *(BIRD DOGS)*

15. CHERCHEZ DES VENDEURS MOTIVÉS

- un décès ;
- un divorce ;
- une mutation :
- des reprises de finance ;
- l'âge des propriétaires ;

3. Genre d'éclaireur ou de prospecteur qui cherche et repère des propriétés.

- des problèmes d'impôts ;
- des recherches d'autres défis ;
- l'augmentation des paiements hypothécaires ;
- un cash-flow négatif ;
- un vendeur qui a peur de l'avenir ;
- du chômage ;
- des personnes fatiguées de l'immobilier ;
- des problèmes de locataires ;
- des problèmes physiques de l'immeuble ;
- des vendeurs ayant d'autres occasions d'investissement ;
- un règlement de succession ;
- un incendie ;
- des immeubles vacants ;
- un taux élevé de logements inoccupés ;
- des immeubles à l'abandon.

15. L'APPROCHE « SHOTGUN[4] »

Faire plusieurs offres d'achat conditionnelles en même temps.

---

4. Stratégie de dispersion : Il ne faut pas concentrer toute son énergie à vouloir acquérir à tout prix un seul immeuble, car au dernier moment le vendeur pourra décider de ne plus vendre ou votre offre sera refusée et vous vous retrouverez le bec à l'eau. Cette stratégie incite à avoir dans sa mire plusieurs propriétés, quitte à en évaluer une centaine, à faire des offres d'achat et ainsi à trouver des aubaines ou des propriétés alléchantes parmi le lot.

13

STRATÉGIES DE NÉGOCIATION ET VÉRIFICATIONS D'USAGE

Dès le début de ce livre, j'ai décrit les principes de l'analyse financière utilisés pour fixer une valeur à une propriété à revenus. Avec un peu de pratique, vous devriez être en mesure de bien les comprendre et les mettre en pratique.

Nous avons aussi vu comment repérer, sur le marché, ces propriétés intéressantes qui peuvent rejoindre vos objectifs d'acquisition. Lorsque cette étape du processus est réalisée et que vous savez le prix que vous êtes disposé à payer pour un immeuble en particulier, l'étape suivante consiste à négocier avec les vendeurs afin d'obtenir les meilleurs prix et conditions.

Quand une entente est convenue, vous êtes prêt à passer à la prochaine étape, soit celle des vérifications d'usage. Ce chapitre vous expliquera les 5 règles de base d'une négociation efficace afin d'obtenir la meilleure transaction possible. Nous examinerons ensuite, étape par étape, ce qu'est une vérification d'usage.

LES 5 RÈGLES DE BASE D'UNE NÉGOCIATION À SUCCÈS

Négocier le prix d'achat et les conditions de vos acquisitions nécessite une combinaison d'art et de connaissances. Comme au poker, vous devez être prudent afin de ne pas dévoiler votre jeu. En même temps, vous devez essayer de découvrir les stratégies de vos adversaires et leur forcer la main autant que possible. Un maître négociateur utilisera chacune des 5 règles de base de la négociation.

Ces 5 règles sont :

1. Faites affaire avec un agent d'immeubles compétent qui agira à titre d'intermédiaire ;

2. Justifiez votre prix, armé des états d'opération du vendeur ;

3. Sachez précisément pourquoi le vendeur vend son immeuble;

4. Gardez-vous toujours des portes de sortie et 30 jours d'analyse pour réfléchir;

5. Sachez quand vous retirer d'une transaction.

RÈGLE 1 : FAITES AFFAIRE AVEC UN AGENT D'IMMEUBLES COMPÉTENT

Le fait d'embaucher un agent négociateur qualifié et habile pour vous représenter adéquatement peut facilement faire la différence entre effectuer ou ne pas effectuer la transaction. Voici pourquoi : les propriétaires tendent à éprouver un haut niveau d'émotivité quand il s'agit de vendre leurs immeubles. Qu'ils soient des vendeurs motivés ou non, on ressent beaucoup d'émotion dans leurs propos quand arrive le temps de négocier et de vendre.

Dans bien des cas, ils possèdent l'immeuble depuis plusieurs années et ils y ont consacré beaucoup de temps et d'énergie. Ils ont travaillé dur pour garder leurs immeubles en bonne condition et ils y ont investi bien des espoirs. Dans d'autres cas, ce sont des vendeurs motivés de vendre pour diverses raisons. Par conséquent, ils sont très souvent anxieux de vendre.

Bien que les réactions émotives soient moins grandes chez les investisseurs qui possèdent un portefeuille immobilier relativement important, vous devriez quand même faire affaire avec un agent compétent, comme intermédiaire, pour vous représenter. À titre d'acheteur potentiel, vous pouvez dire des choses à votre représentant que vous ne diriez pas directement aux vendeurs. Le rôle de l'agent est de faire disparaître toute trace d'émotion dans les négociations en agissant comme intermédiaire entre l'acheteur et le vendeur.

Par exemple, un vendeur qui veut vendre un immeuble à 100 logements au prix de 5 millions peut être offusqué devant un acheteur qui n'offre que 3 500 000 $. Le vendeur peut se sentir un peu insulté et choisir de ne pas répondre à cette offre qu'il juge trop basse, car selon lui la propriété vaut beaucoup plus que les 3 500 000 $ offerts. Si le vendeur est représenté par un agent, ce dernier essaiera de convaincre l'acheteur d'offrir plus, sachant généralement le prix minimum que le vendeur est prêt à accepter.

De plus, il encouragera le vendeur à revenir avec une contre-proposition. Avec un ou des agents mêlés à la négociation, les chances d'une entente sont plus grandes. Les agents ont une forte motivation à ce que la transaction se réalise : LA COMMISSION. Pas de transaction, pas de commission. Bien souvent, j'ai vu des vendeurs et des acheteurs essayer d'éviter les agents, qui n'avaient pas de mandats exclusifs, pour ne pas payer de commission. Plus souvent qu'autrement, les négociations échouent parce que les deux parties n'arrivent pas à s'entendre.

À titre d'exemple, un vendeur s'attend à faire un gain de 500 000 $ sur la vente de son immeuble, moins une commission de 50 000 $ s'il fait affaire avec un agent. Si le vendeur essaie de sauver les 50 000 $ de commission en négociant directement avec l'acheteur, et s'il n'a pas un minimum de connaissances en négociation, il risque de ne pas avoir 500 000 $ pour son immeuble. En fait, le vendeur pourra probablement vendre son immeuble, mais après avoir attendu pendant plusieurs mois de nouveaux acheteurs potentiels intéressés.

Grâce à un agent négociateur compétent, les ventes se font en général plus rapidement et les vendeurs reçoivent également plus vite les profits qu'ils ont faits. Par le fait même, ils peuvent alors profiter d'une autre transaction avec l'argent qu'ils encaissent. La question est la suivante : cela vaut-il les 50 000 $ en question ? Je ne dis pas de ne jamais parler directement avec les vendeurs, car il y a des occasions où cela doit se faire. La négociation ne constitue pas une de ces occasions à moins que vous soyez déjà un négociateur chevronné et expérimenté.

Par exemple, s'il manque des informations sur les documents que l'on vous a remis concernant une propriété qui vous est offerte, il est parfois plus rapide et préférable d'obtenir les informations directement du vendeur. Lors des discussions préliminaires, il vous sera peut-être plus facile de connaître les raisons de la vente. Des commentaires pertinents de la part du vendeur pourront vous être utiles et profitables quand viendra le temps de commencer les négociations.

Certains commentaires du vendeur pourraient vous fournir des indices sur les raisons réelles qui le motivent à vendre – des raisons autres que celles énumérées par l'agent. Le vendeur vous montrera son jeu. Ce sera alors pour vous l'occasion d'utiliser un certain « bluff ».

RÈGLE 2 : JUSTIFIEZ LE PRIX OFFERT

Avant de faire votre offre d'achat au vendeur, prenez le temps d'analyser les données financières de l'immeuble que vous projetez d'acheter et que le vendeur vous aura fournies. Au minimum, vous devriez avoir en main les chiffres des derniers 12 mois ainsi que le « fichier de location » ou le registre des loyers. Si vous n'avez pas analysé ces documents cruciaux, vous n'êtes pas encore prêt à faire une offre d'achat. Si vous n'effectuez pas cette analyse, vous vous dirigez probablement vers un échec.

D'un autre côté, si vous avez fait vos devoirs en analysant sous tous les angles les données financières, vous aurez une idée assez précise de la valeur de cet immeuble. Cette valeur à laquelle vous arriverez est la base du prix que vous offrirez. Si un vendeur demande 1 000 000 $ pour son immeuble et que votre analyse conclut plutôt à une valeur de 800 000 $, vous devrez utiliser ces informations à votre avantage en démontrant précisément au vendeur pourquoi l'immeuble vaut le prix que vous offrez et non celui qu'il demande.

Expliquez en détail au vendeur, par l'intermédiaire de l'agent qui vous représente, comment vous arrivez à la valeur de 800 000 $ en vous servant de votre analyse. Votre agent pourra alors se servir de votre analyse pour expliquer votre prix et convaincre le vendeur de l'accepter. Étant donné que le taux de capitalisation fait varier la valeur économique d'un immeuble, je vous recommande de lancer votre première offre en dessous du prix désiré de 800 000 $. Dans l'exemple que nous utilisons ici, si le revenu net d'opération est de 80 000 $ et que le taux de capitalisation en cours sur le marché est de 10 %, alors

$$\text{PRIX} = \frac{\text{RNO}}{\text{TAUX DE CAPITALISATION}} = \frac{80\,000\,\$}{0{,}10\,\%} = 800\,000\,\$$$

Si le prix que vous désirez payer l'immeuble est de 800 000 $ et que vous en êtes à votre première offre, devinez quoi ? Vous ne l'aurez pas à ce prix. Vous devrez faire votre offre à un prix plus bas pour en arriver au prix désiré. Lorsque vous expliquerez votre analyse financière à l'agent, mentionnez simplement que vous croyez que la valeur de la propriété se calcule selon un taux de capitalisation se situant entre 10 et 11 %, et qu'à un taux de 10,5 % l'immeuble vaut 761 905 $. Vous désirez donc faire votre première offre au prix de 760 000 $.

$$\text{PRIX} = \frac{\text{RNO}}{\text{TAUX DE CAPITALISATION}} = \frac{80\,000\,\$}{0{,}10\,\%} = 761\,905\,\$$$

Souvenez-vous de ce point important :

Vous êtes prêt à payer un prix basé sur les revenus et dépenses actuels et non sur le potentiel futur de ces mêmes revenus et dépenses.

Respectez ce point sinon vous risquez de payer l'immeuble beaucoup trop cher. Si l'agent est celui du vendeur, il essaiera de vous convaincre par tous les moyens possibles que cet immeuble vaut vraiment 1 000 000 $. Vous devrez lui expliquer que pour que cet immeuble atteigne cette valeur, il lui faudrait avoir un revenu net d'opération (RNO) de 100 000 $, non pas dans le futur mais bien aujourd'hui. Si tout ce potentiel que proclame le vendeur existe vraiment, pourquoi le propriétaire actuel ne l'a-t-il pas atteint ?

Pourquoi donc l'immeuble génère-t-il un RNO de 80 000 $ au lieu de 100 000 $ comme il le demande ? Voilà le genre d'argument qui vous aidera à soutenir votre position. Voilà pourquoi je vous recommande de faire affaire avec un agent qui possède les connaissances financières requises pour appuyer et défendre votre offre d'achat, car un agent sans expérience ne pourra pas le faire.

RÈGLE 3 : SACHEZ POURQUOI LE VENDEUR VEND

À titre d'acheteur potentiel, il est important pour vous de savoir pourquoi le vendeur veut vendre son immeuble. Le fait de connaître les raisons de la vente peut vous fournir des arguments importants lorsque vous serez à la table de négociation. Est-ce que le vendeur est en « burnout » ou essaie-t-il tout simplement de se débarrasser de l'immeuble et de tous les casse-têtes qu'entraîne son exploitation ? Essaie-t-il simplement de vérifier le marché ? En d'autres mots, vous cherchez à découvrir à quel point le vendeur est motivé à vendre. Plus il sera motivé, plus il sera flexible concernant le prix et les conditions de vente.

Les raisons de la vente se retrouvent généralement dans une ou plusieurs des situations suivantes.

6 RAISONS POURQUOI UN VENDEUR VEND SON IMMEUBLE :

1. il a besoin de son argent pour acheter un autre immeuble ;
2. un burnout attribuable à des problèmes administratifs ;
3. un changement de ses conditions économiques ;
4. des considérations fiscales ;
5. un événement changeant sa vie personnelle ou familiale ;
6. la retraite.

Une des principales raisons de vendre d'un vendeur est qu'il est, généralement parlant, un investisseur immobilier qui veut se servir du gain qu'il fera sur la vente de son immeuble afin d'en acheter un autre. Son degré de motivation variera selon différents facteurs tels que le profit généré par la vente et le « timing » opportun en ce qui a trait au prochain investissement. À titre d'exemple, si une transaction lui rapporte un profit de 600 000 $ sur la vente d'un immeuble valant 3 millions de dollars, au cours d'une période de 12 mois, il pourra plus facilement accepter un prix de 2 850 000 $ en pensant qu'« un tiens vaut mieux que deux tu l'auras ».

En d'autres mots, au lieu d'attendre 12 mois pour avoir son profit de 600 000 $, il vaudrait mieux accepter un prix inférieur et repartir immédiatement avec 450 000 $. Vous devez certainement penser que 150 000 $ c'est beaucoup d'argent laissé là sur la table. Cela représente certainement une grosse somme d'argent, mais la manière de penser d'un investisseur avisé et actif est différente du commun des mortels. Cet investisseur avisé pense à sa prochaine aubaine et au 500 000 $ qu'il fera en l'acquérant.

Les problèmes de gestion sont une autre raison pour laquelle les propriétaires songent à vendre leurs immeubles. Le niveau de motivation à vendre est directement relié au degré de détresse du vendeur. C'est à ce niveau que des indices subtils peuvent être détectés lors des communications directes avec les vendeurs. Une rencontre avec le vendeur et son agent, sur les lieux mêmes pour une visite de routine, peut s'avérer extrêmement révélatrice pour un acheteur bien préparé, ayant une liste de questions subjectives.

Le vendeur semble-t-il anxieux, nerveux ? Surveillez les indices pouvant vous renseigner sur les problèmes de gestion. Une analyse approfondie des documents financiers peut vous indiquer une faiblesse administrative. Par exemple, le taux d'inoccupation des loyers et celui de rotation des locataires peuvent vous sembler plus élevés que la moyenne du marché; les dépenses d'exploitation plus élevées que la moyenne du secteur. Si le vendeur souffre d'épuisement professionnel relié à des problèmes de gestion d'immeubles, il sera très probablement motivé à vendre et certainement plus flexible dans ses conditions de vente.

Un changement dans les conditions économiques peut affecter les valeurs des immeubles positivement ou négativement. Une modification démographique, le taux de criminalité, le taux de chômage, voilà autant de changements hors du contrôle direct d'un propriétaire et qui peuvent affecter l'exploitation d'un immeuble.

Un propriétaire peut avoir fait un excellent travail durant plusieurs années. Pourtant, l'augmentation du taux de criminalité ou encore de nombreuses mises à pied auront un impact direct sur le niveau de rentabilité d'un immeuble. À titre d'acheteur, vous voudrez obtenir le plus de renseignements possible relativement à ces facteurs, parce que vous-même, en qualité de nouveau propriétaire, n'aurez que peu de contrôle sur ces conditions économiques.

Une autre raison pour laquelle un propriétaire peut avoir à vendre un ou des immeubles est d'ordre fiscal. Un propriétaire qui a un surplus d'impôt à payer devra vraisemblablement vendre afin de payer ses impôts. Que ce soit par suite d'une vérification ou d'un changement de statut fiscal, à cause d'un profit d'entreprise au lieu d'un gain en capital, cela aura un impact fiscal important sur les impôts à payer.

Un événement imprévu comme la maladie, un divorce, un décès peuvent amener un propriétaire à vendre un immeuble. Dans un de ses livres *Père riche, Père pauvre*[1] – Robert Kiyosaki raconte la négociation qu'il a effectuée pour un édifice de 18 logements. Un groupe de 6 associés mirent en vente leur immeuble au prix de 1 200 000 $. M. Kiyosaki fit une offre au prix de 1 100 000 $, laquelle fut rejetée par les associés. Trois mois plus tard, l'immeuble en question était encore à vendre. Robert Kiyosaki décida d'organiser une réunion avec les 6 associés et leur agent d'immeubles.

Lorsqu'ils arrivèrent à la table de négociation, l'un deux n'y était pas. Au lieu de 6, ils étaient 5. M. Kiyosaki s'informa au sujet de l'associé absent. La réaction des associés présents était pleine de nervosité,

---

1. Robert T. Kiyosaki et Sharon L. Lechter, *Père riche, Père pauvre*, éditions Un monde différent ltée, Brossard, 2001, 280 p.

de regards évasifs, de toux nerveuses, à tel point qu'ils refusèrent de parler de l'associé absent. Robert Kiyosaki se leva de table en s'excusant et sentit immédiatement du désappointement dans les regards désespérés des 5 associés.

Un coup de téléphone à l'agent d'immeubles permit de confirmer les doutes : quelque chose était arrivé à l'associé absent, il était hospitalisé à la suite d'un infarctus. Robert Kiyosaki comprit immédiatement que les 5 autres associés ne pouvaient maintenir leur prix de 1 200 000 $. S'ils maintenaient leur position et que le sixième associé décédait, ils couraient le risque d'avoir à vendre en justice. Il leur fit immédiatement une proposition à 500 000 $ et, à la fin de la négociation, il obtint l'immeuble au prix de 695 000 $. Avec un peu de recul, ils auraient dû accepter l'offre originale de 1 100 000 $, mais un changement dans la vie d'un des associés modifia les règles du jeu et ils durent vendre à un prix très inférieur.

Finalement, une autre raison de vendre ses immeubles est la retraite. À un certain moment donné dans la vie, nous atteignons l'étape où l'on doit prendre notre retraite et nous retirer des affaires actives. Il y a beaucoup de propriétaires d'immeubles qui, au bout de 25 ans, finissent de payer leurs immeubles et atteignent alors l'âge de la retraite. Vendre ces immeubles leur rapporte une somme d'argent considérable avec laquelle ils peuvent jouir, sans aucun problème, d'une retraite dorée.

RÈGLE 4 : GARDEZ-VOUS DES PORTES DE SORTIE ET UN 30 JOURS D'ANALYSE

Reportez-vous au chapitre sur les promesses d'achat (chapitre 11) afin de toujours inclure ces clauses conditionnelles dans vos promesses d'achat.

Un autre point extrêmement important à inclure dans vos négociations est de vous protéger avec une clause vous donnant 30 jours (pas facile à obtenir) pour faire les analyses nécessaires et pour pouvoir retirer votre offre à l'intérieur de cette période si un point quelconque de votre vérification ne vous satisfait pas et même, idéalement, sans avoir à justifier quoi que ce soit. Une fois votre offre acceptée, votre contrat vous donne 30 jours pour effectuer les vérifications d'usage. Beaucoup de facteurs durant cette période peuvent vous inciter à changer d'idée.

Vous pouvez découvrir que l'entretien de l'immeuble n'est pas satisfaisant, que le taux de rotation des locataires est trop élevé, que les montants déposés ne correspondent pas aux baux, etc. Peu importe les raisons, protégez-vous en vous réservant une période d'évaluation et de vérification. Le vendeur ne sera pas toujours consentant à vous accorder ce délai, mais plus cette période sera longue, mieux cela sera pour vous.

RÈGLE 5 : SACHEZ QUAND VOUS RETIRER D'UNE TRANSACTION

Si vous êtes incapable de convaincre le vendeur d'accepter votre prix (voir règle 2), alors il est temps pour vous de rechercher une autre occasion, une autre aubaine. Vous pourriez envisager de faire une exception si le vendeur semble ouvert à vous offrir de meilleures conditions. Par exemple, une balance de prix de vente pour 10 % du prix de vente. Ceci vous permettrait d'acheter avec 10 % moins de comptant. Alors là, il vous serait possible de reconsidérer la transaction.

Un simple changement dans votre modèle d'analyse, ramenant le comptant de 20 % à 10 %, peut vous amener à reconsidérer les effets de ce changement, si vous lui offrez le prix demandé et si vous analysez à nouveau votre retour sur investissement. Sur un immeuble de 1 000 000 $, si votre comptant investi est réduit de 200 000 $ à 100 000 $, cela devrait avoir un effet significatif sur le rendement de votre investissement.

Pour créer suffisamment de valeur qui vous permettrait de doubler votre argent, vous devrez créer une valeur additionnelle de 100 000 $ ou 10 % de la valeur de la transaction. En supposant un taux de capitalisation de 10 %, nous savons que le RNO est de 100 000 $. Pour avoir cette somme supplémentaire, le RNO devra augmenter de 100 000 $. Ceci pourrait être fait en augmentant les revenus de 5 % et en diminuant les dépenses de 5 %, ou par n'importe quelle combinaison qui totaliserait 10 %.

PRIX X TAUX DE CAPITALISATION = RNO

1 000 000 $ X 0,10 % = 100 000 $

1 100 000 $ X 0,10 % = 110 000 $

1 100 000 $ – 1 000 000 $ = 100 000 $ DE VALEUR CRÉÉE

Revenons maintenant à la règle 5. Le point limite est de ne pas avoir peur de vous retirer d'une transaction si vous n'y voyez aucune logique financière, ni un rendement suffisant sur votre capital investi. J'ai récemment repéré un immeuble à 40 logements pour lequel on demandait la somme de 1 600 000 $, ce qui est un excellent prix sur le marché actuel. J'ai offert 1 200 000 $ sans aucun dépôt et une période de 30 jours pour faire mon analyse de faisabilité, et un autre 60 jours pour finaliser la transaction chez le notaire. Dans le cas présent, le vendeur était du type agressif et arrogant.

Il avait une attitude agressive et il me disait : « La transaction se fera à ma façon ou rien du tout. » Vu qu'il demandait 5 % de dépôt à l'offre d'achat, qu'il ne m'offrait aucun délai pour mon étude de faisabilité et qu'il exigeait que la transaction soit notariée dans les 30 jours, j'ai décidé de me retirer de la transaction. Peu importe le potentiel que cet immeuble pouvait avoir ! Je n'étais pas intéressé à assumer un tel risque sur un investissement pour lequel on ne m'accordait pas le temps nécessaire pour faire mes vérifications d'usage. Je suis dans l'immobilier pour faire du profit et non pas pour y perdre de l'argent.

VÉRIFICATIONS D'USAGE

Votre analyse préliminaire vous a mené à l'étape de la négociation et vous en êtes arrivé à une entente bien négociée. Vous en êtes maintenant à l'étape de l'analyse physique de l'immeuble par le processus de vérification diligente. Cette étape devra inclure une visite exhaustive en ce qui a trait à l'état de l'immeuble en général et de chacun des appartements. Cela devra être fait par un inspecteur de bâtiments compétent et par vous-même, et inclure toute la documentation énumérée dans vos conditions apparaissant dans la promesse d'achat. Cette analyse physique de l'immeuble prendra aussi en considération les règlements de zonage, les ordonnances environnementales, etc. Finalement, une étude de marketing sommaire devrait venir supporter votre analyse.

L'INSPECTION PHYSIQUE

En tant qu'acheteur avisé, votre inspection des conditions physiques de l'immeuble devrait inclure une visite de chaque appartement en plus de l'inspection générale de l'immeuble. Vous devez prendre note de tous les détails qui pourraient avoir une incidence sur votre décision d'aller de l'avant ou de vous retirer de la transaction. Il y a toujours de l'entretien mineur à effectuer comme de la peinture, mais ce sont en général des réparations « d'ordre cosmétique » et qui n'ont aucun impact significatif sur la valeur de l'immeuble. Vous devrez vous concentrer sur les travaux nécessitant des capitaux importants tels que le remplacement de la toiture, des problèmes de fondations ou la réfection de l'asphalte. Le chauffage et la climatisation devront être inspectés attentivement.

Les tableaux suivants vous énumèrent une liste des points à vérifier à l'extérieur et à l'intérieur de l'immeuble.

Pour que vous puissiez utiliser efficacement la liste suivante, prenez une feuille de papier et tenez compte de tous les éléments du rapport d'inspection de la propriété. Consultez le site Internet www.clubimmobilier.qc.ca pour retrouver ces données sous forme de tableau.

LISTE DE VÉRIFICATION DE L'EXTÉRIEUR ET DE L'INTÉRIEUR DE L'IMMEUBLE

En prenant en considération les points mentionnés dans la liste ci-dessous, indiquez pour chacun des points suivants les aspects qui vous semblent incorrects, les réparations, les remplacements ou les ajouts qu'il faudrait faire et le coût estimé de ces modifications.

RAPPORT DE L'INSPECTION DE LA PROPRIÉTÉ

Date, adresse de la propriété, opinion du propriétaire sur les réparations à venir, les dégâts dans le passé.

EXTÉRIEUR DE L'IMMEUBLE

Terrain : paysagement, piscine, égout ou fosse septique, arroseurs.
À qui appartiennent les clôtures et les haies ?
Autres.

Bâtiment : toit, cheminée, fondations, bois extérieur, autres.

Indiquez pour chacun des points suivants les aspects qui vous semblent incorrects, les réparations, les remplacements ou les ajouts qu'il faudrait faire et le coût estimé de ces modifications.

INTÉRIEUR DE L'IMMEUBLE

Éclairage naturel
Chauffage et air climatisé: fournaise, air climatisé, chauffage à l'eau, autres.
Ventilation: cuisine, salle de bain, sortie sécheuse, autres.
Appareils et équipements encastrés: four, brûleur, micro-ondes, lave-vaisselle, détecteur de fumée, intercom, porte de garage électrique, autres.
Système électrique: 110/éclairage intérieur, 220A/éclairage extérieur, fusibles, disjoncteurs, autres.
Plomberie: salle de bain, pression de l'eau, fer/cuisine, cuivre/blanchisserie, autres.
Vitres: fenêtres, moustiquaires, carreaux de fenêtres, vitre des portes, vitre de la douche, miroirs, autres.
Propreté générale: tapis, draperies, peinture, autres.
Humidité: moisissure, infiltration d'eau, odeurs.
Faites quelques remarques, s'il y a lieu.

RÉNOVATIONS FAITES

Pour chacun des points suivants, indiquez sur votre feuille de papier l'année où une rénovation a été faite pour le point en question, la garantie sur les travaux effectués (si cette garantie est transférable ou non) et prenez soin d'avoir à votre portée les preuves de ce que vous avancez avec les factures qui y correspondent.

Toiture, balcons, fenêtres, plomberie, électricité.

- **Pour la toiture,** une rénovation a-t-elle été faite ? Si oui, quelle est la garantie sur les travaux effectués ? Cette garantie est-elle transférable ? Gardez les factures qui sont des preuves à présenter au nouveau propriétaire et aux acheteurs éventuels.
- **Pour les balcons,** une rénovation a-t-elle été faite ? Si oui, quelle est la garantie ? Est-elle transférable ? Avez-vous gardé les factures et reçus comme preuves ?
- **Pour les fenêtres,** une rénovation a-t-elle été faite ? Quelle est la garantie ? Est-ce une garantie transférable ? Vérifiez les cadres des fenêtres, sont-elles faciles à ouvrir ? Avez-vous vos preuves de rénovation ?
- Faites de même pour la **plomberie** et l'**électricité**.

En résumé, pour obtenir le meilleur prix et les meilleures conditions lors de l'acquisition d'un immeuble, cela requiert une combinaison de connaissances et d'art. Un maître négociateur prendra soin de s'assurer que les 5 règles sont suivies. Après avoir atteint un terrain d'entente avec le vendeur, vous serez alors prêt à entreprendre votre vérification diligente.

14

RETIRER SON ARGENT DE L'IMMOBILIER

Vous avez travaillé très fort au cours des 12 à 24 derniers mois à effectuer des recherches et des analyses, et vous avez finalement réussi à acheter un ou quelques immeubles. Vous avez repéré un immeuble qui correspond à vos besoins et à vos objectifs. Vous l'avez acheté en utilisant différentes techniques d'acquisition et de financement décrites dans ce livre, vous permettant de maximiser le rendement de vos capitaux. Vous avez utilisé les outils nécessaires pour trouver des façons d'augmenter les revenus et de diminuer les dépenses. Il est temps maintenant d'aller récupérer le plus possible le capital investi afin de pouvoir acheter de nouvelles propriétés. Comment allez-vous vous y prendre ? Quelles sont les possibilités qui s'offrent à vous ?

CINQ STRATÉGIES POUR RÉCUPÉRER SON ARGENT

1. La vente de l'immeuble ;
2. Financer à nouveau ;
3. Partage de l'équité avec un associé ;
4. L'échange d'immeubles ;
5. Une combinaison des quatre stratégies précédentes.

LA VENTE DE L'IMMEUBLE

La façon la plus évidente et la plus utilisée pour récupérer son argent dans l'immobilier est probablement de vendre l'immeuble à un autre investisseur. La vente comporte des avantages et des désavantages si on la compare à d'autres façons de faire.

Le premier avantage de la vente est que vous récupérez 100 % de votre argent investi, plus un profit s'il y a lieu. Votre but est de reprendre cet argent pour simplement arrêter d'investir dans l'immobilier ou pour acheter d'autres immeubles. Un autre avantage est qu'après la vente, votre responsabilité financière à l'égard du prêteur cesse complètement, et votre responsabilité quant à l'immeuble (administration, entretien, etc.) se termine aussi avec la vente. Si vous conservez une balance du prix de vente, vous êtes responsable de la percevoir quand elle viendra à échéance.

Vous êtes libéré mentalement et émotionnellement, ce qui vous permet de vous concentrer à 100 % sur la prochaine transaction. Finalement, conformément à votre situation fiscale et aux recommandations de votre comptable, vous pourrez peut-être vous qualifier pour un gain en capital au lieu d'un profit d'entreprise. Ce qui peut changer votre taux du simple au double, car on sait très bien qu'un gain en capital est imposé à un taux plus bas qu'un profit d'entreprise.

Un des désavantages de vendre la propriété est que vous perdez toutes les augmentations futures de la valeur de l'immeuble. C'est normal, il ne vous appartient plus. Sur une longue période, la perte d'augmentation de valeur potentielle est impossible à évaluer avec précision, mais nous savons très bien qu'avec le temps, l'immobilier augmente toujours en valeur. Vous devez payer de l'impôt immédiatement lors de la vente et probablement payer une commission à un agent immobilier. L'argent net qu'il vous reste après une vente est bien souvent moindre que l'équité que l'on peut montrer sur un bilan personnel.

Si votre vente n'est pas considérée comme un gain en capital, vous aurez à payer jusqu'à 50 % d'impôts sur le profit réalisé. Cela peut faire une énorme différence sur la somme d'argent qu'il vous restera après la transaction. Dans la majorité des cas, il est préférable de garder son ou ses immeubles et de les financer à nouveau.

Souvenez-vous que la recette de l'enrichissement est la suivante :

PLUS VOUS AVEZ D'ACTIFS QUI PRENNENT DE LA VALEUR,
PLUS VOUS VOUS ENRICHISSEZ.

FINANCER À NOUVEAU

Une autre méthode pour récupérer son argent et une partie de l'augmentation de valeur (selon moi, c'est la meilleure méthode) consiste à financer à nouveau l'immeuble selon sa nouvelle valeur. On sait très bien que l'on peut aller chercher 75 % de cette nouvelle valeur en première hypothèque et peut-être même un autre 10 % en deuxième hypothèque grâce à un prêteur privé. Il est aussi possible d'obtenir une hypothèque avec la SCHL et d'aller chercher de cette façon 85 % et plus de la valeur de l'immeuble financé une seconde fois, selon sa catégorie. Même si vous n'avez jamais financé à nouveau une propriété à revenus, vous avez certainement déjà hypothéqué une seconde fois votre maison. Le processus est à peu près le même.

Les prêteurs hypothécaires, qu'ils soient institutionnels ou privés, exigent généralement que vous soyez déjà propriétaire de votre immeuble depuis environ 12 mois, quoique certaines exceptions peuvent s'appliquer selon les conditions d'achat de chaque immeuble comme le prix payé, les rénovations effectuées, etc. Les prêteurs demandent cette période de possession de 12 mois afin de s'assurer que vous vous êtes suffisamment impliqué financièrement et que vous avez pris le contrôle de votre placement.

Plusieurs d'entre eux ne comprennent pas ou ne veulent pas comprendre qu'il existe un processus automatique d'augmentation de sa valeur si vous achetez un immeuble bien en dessous de la valeur du marché. Vous aurez peut-être à les éduquer. Pour les preneurs de décision, règle générale, la seule façon d'augmenter la valeur d'un immeuble est par l'augmentation des loyers. Oui, c'en est une mais ce n'est pas la seule façon.

Ils peuvent aussi être sceptiques si la valeur de votre immeuble a augmenté rapidement dans une courte période de temps. Ils voudront savoir quand vous l'avez acheté, le prix payé, les rénovations effectuées. Si l'immeuble acheté au prix de 2 000 000 $ il y a 12 mois vaut aujourd'hui 2 600 000 $, ils voudront savoir avec raison pourquoi il y a eu autant d'augmentation. Vous devrez vous préparer à leur expliquer votre façon de créer une augmentation de valeur à vos immeubles.

Si la propriété était mal administrée, louée en dessous des prix du marché, comprenait des dépenses d'exploitation trop élevées, etc., vous devrez fournir des explications aux prêteurs sur votre façon de vous y prendre pour améliorer ces situations. Soyez convaincant dans votre présentation et décrivez en détail comment vous avez injecté les capitaux nécessaires pour effectuer les rénovations requises. C'est ce qui vous a permis d'augmenter les loyers et de diminuer par la même occasion les dépenses.

N'oubliez pas que les prêteurs ont besoin de faire affaire avec vous et ils le veulent vraiment. Ils sont en affaires pour prêter de l'argent. Ce n'est pas un acte de charité qu'ils vous font. Leurs revenus proviennent de revenus d'intérêts sur l'argent qu'ils prêtent. Donc, ils ont besoin de prêter. Vous devez leur donner des raisons pour qu'ils le fassent. Vous devez raconter votre histoire avec conviction et passion. Vous devez gagner la confiance des prêteurs en leur démontrant qu'ils peuvent vous faire confiance et que leur argent est bien placé.

Pour financer à nouveau un immeuble, vous devez vous préparer à justifier l'augmentation de valeur de votre immeuble. Dans l'exemple mentionné précédemment, vous devrez être en mesure de démontrer au prêteur et à l'évaluateur pourquoi l'immeuble vaut plus aujourd'hui qu'au moment de son acquisition. Cela requiert une grande compréhension des méthodes d'évaluation et du processus de financement qui ont été décrits précédemment dans ce livre.

Rappelons-nous le chapitre de l'évaluation où l'on décrivait les méthodes utilisées par les évaluateurs agréés : la méthode des comparables sur le marché, le coût de remplacement et la technique de capitalisation du revenu net. N'oubliez pas que, quoique chaque méthode ait sa place dans la détermination de la valeur d'un immeuble, les évaluateurs agréés accordent plus d'importance à la technique de la capitalisation du revenu net, en particulier pour les immeubles de 5 logements et plus.

Nous avons déjà compris que la valeur d'un immeuble est proportionnelle à son revenu net d'opération (RNO) et qu'elle est aussi déterminée par sa capacité à générer des revenus. En supposant un taux de capitalisation de 10 %, nous savons que la valeur d'un immeuble produisant pour 200 000 $ de RNO serait de :

$$\text{PRIX} = \frac{\text{RNO}}{\text{TAUX CAP.}} = \frac{200\,000\,\$}{0{,}10\,\%} = 2\,000\,000\,\$$$

Pour justifier une nouvelle valeur de 2 600 000 $ millions et en utilisant le même taux de capitalisation, nous calculons qu'il nous faudrait un RNO de 260 000 $.

$$\text{RNO} = \frac{\text{PRIX}}{\text{TAUX CAP.}} = \frac{2\,600\,000\,\$}{0{,}10\,\%} = 260\,000\,\$$$

Il vous faudra être en mesure de démontrer la valeur la plus haute à la fois pour le prêteur et pour l'évaluateur, en présentant à chacun un état des revenus et dépenses ainsi que le registre des loyers. Le RNO de 260 000 $ ne sera probablement pas visible sur l'état des 12 derniers mois. Mais si l'on divise la présentation en 4 trimestres, en annualisant le dernier trimestre, il sera possible de démontrer que le RNO, basé sur ce dernier trimestre annualisé, sera de 260 000 $ comme désiré. Avec le temps, vous améliorerez les revenus et dépenses de l'immeuble, de même que ses conditions physiques. Le RNO devrait normalement augmenter. Le tableau suivant montre un exemple de 4 trimestres avec des RNO annualisés.

	TRIMESTRES			
	1	2	3	4
Revenus	125 000 $	127 500 $	130 000 $	132 500 $
Dépenses	75 000 $	72 500 $	70 000 $	67 500 $
RNO	50 000 $	55 000 $	60 000 $	65 000 $
RNO annualisés	200 000 $	220 000 $	240 000 $	260 000 $

À l'analyse de ce tableau, vous constaterez que sur une période de 12 mois, il est relativement plausible de croire que l'on peut augmenter le RNO de 200 000 $ à 260 000 $. Une augmentation des revenus de 2 500 $ par trimestre et une diminution de 2 500 $ des dépenses par trimestre augmentent le RNO de 5 000 $. Et à la fin du 4e trimestre, vous additionnez 15 000 $ de RNO ou 60 000 $ annuellement.

Voilà tout ce dont nous avons besoin pour ajouter une valeur additionnelle de 600 000 $ à notre propriété. Si on met cet exemple en perspective, l'augmentation des revenus représente une croissance de 6 % seulement alors que la diminution des dépenses représente 10 %. Repérez le bon immeuble avec une vraie occasion d'aubaine. De tels résultats sont facilement atteignables.

$$\frac{132\,500\,\$ - 125\,000\,\$}{125\,000\,\$} = 6\,\%$$

ou une augmentation des revenus des loyers de 6 %

$$\frac{67\,500\,\$ - 75\,000\,\$}{75\,000\,\$} = -10\,\%$$

ou une diminution de 10 % des dépenses d'exploitation

Comme vous pouvez le constater, ceci n'est pas de la physique nucléaire. Vous n'avez besoin que de comprendre le mécanisme de cette analyse pour être capable de l'appliquer au processus de création de la valeur. Cela ne devrait pas être difficile pour vous de repérer un immeuble dont les loyers sont loués en dessous de la valeur du marché d'environ 6 %. Vous ne devriez pas non plus avoir de la difficulté à en trouver un dont les dépenses sont trop élevées. Améliorer la gestion d'un immeuble peut faire toute la différence quand on veut en augmenter la valeur.

À titre de propriétaire immobilier, une compréhension des méthodes d'évaluation est primordiale si vous voulez emprunter la voie de l'accumulation de richesses. Sinon vous serez comme la plupart des propriétaires immobiliers qui achètent leurs propriétés au plein prix du marché, qui les gardent toute leur vie et qui espèrent l'augmentation de leur valeur. Oui, le temps leur donne généralement raison, mais que se passe-t-il dès le début si l'augmentation de la valeur se fait attendre ?

Quel sera le rendement sur leur argent investi ? Comparez avec un investisseur qui obtient une équité instantanée en achetant en dessous de la valeur du marché. Pour être en mesure d'acheter en dessous du marché, il faut très bien comprendre les mathématiques immobilières comme nous venons de le démontrer dans l'exemple précédent. Vous devez être en mesure de savoir comment les évaluateurs et les banquiers calculent la valeur des immeubles. Vous devrez aussi calculer la valeur maximale que vous accordez à un immeuble et ne jamais dépasser ce montant comme prix payé.

Vous ne devriez en aucun temps payer plus cher que votre propre évaluation. Maintenant que vous connaissez ce que l'évaluateur calculera, vous devrez considérer ce que le prêteur examinera à son tour. Quoique les critères pour financer à nouveau un immeuble peuvent varier d'un prêteur à l'autre, il y a trois ratios financiers qu'ils scrutent tous, les voici : 1) le ratio de la période de possession de l'immeuble ; 2) le ratio du pourcentage de financement ; et 3) le ratio de couverture de la dette.

Tel que mentionné plus haut, les prêteurs vont exiger que vous soyez déjà propriétaire depuis un certain temps avant de considérer un nouveau financement. Cette période peut varier de 4 à 12 mois selon le prêteur et aussi la capacité financière de l'emprunteur. Dans certains cas, le prêteur peut aller jusqu'à préautoriser le prêt une fois que les travaux de rénovation ou d'amélioration auront été faits.

Le deuxième facteur est le ratio d'endettement ou du pourcentage de financement de l'immeuble. Pour tous les prêts conventionnels, ce ratio ne peut dépasser 75 % de la valeur de l'immeuble. Lorsqu'un prêt est assuré par la SCHL ou tout autre assurance hypothécaire, ce ratio varie de 95 % pour une maison unifamiliale, 92,5 % pour un duplex, 90 % pour un triplex et enfin 85 % pour toutes les autres catégories d'immeubles. De l'opinion des prêteurs, si vous n'avez pas investi beaucoup de votre argent dans un immeuble, votre intérêt en est diminué, car votre risque est moindre que ce que la banque elle-même risque.

Quoique ce fait soit exact, je ne connais pas beaucoup d'investisseurs immobiliers intéressés à investir 25 % de leur équité dans un projet quelconque. Quant au projet expliqué plus haut, investir 25 % de votre équité dans la transaction équivaudrait à laisser 650 000 $ sur la table avec un rendement non satisfaisant. Il vous faudra à ce moment-là faire appel à des prêts assurés ou à du financement privé.

Finalement, les prêteurs calculent le ratio de couverture de la dette à l'achat et lors d'un nouveau financement. Ils veulent s'assurer que les revenus générés par l'immeuble sont suffisants pour couvrir l'hypothèque que vous désirez obtenir sur l'immeuble à financer. Vous devrez démontrer qu'il en sera ainsi et que le calcul de ce ratio rejoint les ratios qu'ils espèrent. À l'aide des données financières de l'immeuble, ils feront certains ajustements aux revenus et dépenses, s'il y a lieu.

Par exemple, ils utiliseront probablement un taux d'inoccupation de 5 % des revenus potentiels de l'immeuble, et certains ajustements aux dépenses si elles ne correspondent pas à leurs données statistiques. Évidemment, ces ajustements affecteront directement le revenu net d'opération (RNO) et, conséquemment, le ratio de couverture de la dette. Encore une fois, la formule est :

$$\text{Ratio de couverture de la dette} = \frac{\text{Revenu net d'opération}}{\text{Paiement de la dette}}$$

Avant de rencontrer les gens d'une institution financière pour obtenir du financement, il serait préférable que vous discutiez quelques minutes avec eux afin de connaître ces ratios. De cette façon, vous saurez avant de les rencontrer quelles sont leurs exigences, si vous êtes en mesure de les satisfaire et si votre prêt a des chances d'être accepté. Si vous êtes propriétaire depuis 6 mois et que les exigences du prêteur sont de 12 mois, ne perdez pas votre temps avec ce prêteur et allez en voir un autre.

Il en va de même pour le ratio de couverture de la dette. Si votre ratio est de 1,20 et que le prêteur exige 1,30, allez voir un autre prêteur. Les courtiers hypothécaires peuvent jouer un rôle important dans la recherche de financement. Ils sont en relation avec plusieurs prêteurs et ils connaissent leurs critères. Ils vous économiseront beaucoup de temps, d'efforts et vous éviteront probablement des refus. En effectuant le calcul de ces ratios, vous serez en mesure d'évaluer assez précisément le montant d'argent que vous pourrez récupérer de vos « refinancements ».

Le fait de financer à nouveau vos immeubles offre des avantages et des désavantages en comparaison des autres façons de retirer votre argent. Un des premiers avantages, surtout pour les investisseurs expérimentés, est que vous restez en contrôle d'actifs considérables : vos immeubles. Plus vous acquérez d'immeubles, plus la grosseur de votre portefeuille immobilier s'accroît considérablement. Initialement à un million de dollars et, éventuellement, à plusieurs dizaines de millions de dollars.

En gardant le contrôle sur des actifs substantiels comme ceux-là, cela vous offre la presque certitude d'enrichissement. Même si vous avez tiré le maximum d'argent possible de ces actifs, il n'en demeure pas moins que la totalité de la valeur de ces immeubles augmentera avec le temps. Il y aura un surplus d'exploitation (profit d'exploitation) et les hypothèques se paieront à nouveau d'elles-mêmes. Votre équité croîtra de nouveau à un rythme extraordinaire.

Reprenons notre exemple de l'immeuble valant 2 600 000 $. Supposons que l'augmentation de valeur ne soit que d'un modeste 3 % annuellement pendant 5 ans ; la valeur de l'immeuble atteindra environ 3 000 000 $ après 5 ans. Le solde hypothécaire aura lui aussi diminué, de sorte qu'après cette période 5 ans, il sera à nouveau possible de financer une nouvelle fois et d'aller chercher cette nouvelle « équité » accumulée au cours de cette période.

Un autre avantage qu'offre un nouveau financement est que cette somme d'argent n'est pas imposable. Il ne s'agit pas d'un revenu imposable, car vous ne vendez pas l'immeuble mais vous empruntez sur sa nouvelle valeur. Quoiqu'un nouveau financement représente un choix attrayant pour sortir votre argent d'un immeuble, cette méthode comporte des désavantages.

Un des principaux désavantages est que vous ne recevrez que 75 % de la valeur de l'immeuble en prêt conventionnel, et non 100 % si vous le vendiez. Par contre, si vous tenez compte des impôts à payer, d'une commission à payer à un agent d'immeubles, des frais de vente, et de la perte de plus-value dans l'avenir, ce désavantage est pratiquement éliminé.

Comparons les deux méthodes en analysant le tableau suivant :

VENTE COMPTANT VERSUS NOUVEAU FINANCEMENT

HYPOTHÈSE ORIGINALE

Stratégie 1 : vente

Prix d'achat	2 000 000 $
Équité à 25 %	500 000 $
Financement	1 500 000 $

Stratégie 2 : nouveau financement

Prix de vente	2 600 000 $	Nouvelle valeur	2 600 000 $
Prix d'achat	2 000 000 $		
Profit	600 000 $	Nouvel emprunt(75 %)	1 950 000 $
Commission	50 000 $		
Profit avant impôts	550 000 $		
Impôt gain capital (25 %)	137 500 $	Paiement prêt existant	1 500 000 $
Gain après impôts	412 500 $	Argent disponible	450 000 $
Dépôt initial	500 000 $		
Argent disponible	912 500 $		

Différence entre les 2 méthodes 462 500 $

Si vous vendez l'immeuble, vous n'êtes pas imposé en gain en capital mais en profit d'entreprise. Dans ce cas, l'impôt à payer serait de 225 000 $; le gain après impôts serait de 325 000 $ plus la mise de fonds de 500 000 $, il vous reviendrait 825 000 $ au lieu de 450 000 $, soit une différence de 375 000 $. Comme vous pouvez le constater, l'impact fiscal est à vérifier et à considérer dans le cas d'une vente. L'exemple précédent ne tient pas compte du fait qu'il y a eu des amortissements sur le coût de l'immeuble, ce qui augmenterait davantage les impôts à payer et diminuerait encore la marge entre la vente et un nouveau financement.

Un autre désavantage d'un nouveau financement est que si vous ne vendez pas quand le marché en est un de vendeur, vous augmentez votre risque de perdre de la valeur, advenant le cas où il y aurait une baisse du marché. Tant et aussi longtemps que l'économie demeure stable et que le taux d'inoccupation reste bas, la valeur des immeubles demeurera stable et peut-être à la hausse. Par contre, si le taux d'inoccupation augmente et qu'il y a plus de mauvais payeurs, les problèmes peuvent augmenter et la valeur des immeubles diminuer.

Une excellente façon de se protéger personnellement consiste à acheter ses immeubles par le biais d'une compagnie incorporée. Cette façon de faire installe un écran protecteur entre vous et les poursuites éventuelles pouvant provenir de différentes sources. Même si vos créanciers hypothécaires vous demandent de cautionner personnellement vos prêts hypothécaires, il n'en demeure pas moins que vous n'êtes responsable que de cette dette.

Vous n'êtes pas responsable de l'ensemble des poursuites éventuelles pouvant provenir de différentes sources, entre autres des poursuites pour vice caché, lesquelles prennent de plus en plus d'ampleur au Canada. Évidemment, je ne tiens pas compte ici, relativement à cette idée de protection, des frais d'exploitation qu'exige une incorporation, ni de l'aspect fiscal. Mais qu'est-ce qui doit primer ? L'aspect fiscal ou la protection ? À ce stade-ci, une sérieuse réflexion s'impose et seule une consultation avec un avocat ou un comptable qualifié pourra répondre adéquatement à chacune des interrogations des investisseurs.

Finalement, financer à nouveau vos immeubles pour un montant supérieur à celui de l'achat, avec des conditions similaires et un ratio d'endettement maximum disponible sur chacun de vos immeubles, réduira les liquidités d'exploitation (sommes immédiatement disponibles) de chacun des immeubles que vous financez à nouveau. Les créanciers hypothécaires prendront toujours en considération le ratio de couverture de la dette afin de s'assurer que cette dernière soit couverte selon leurs exigences respectives. La diminution du flux de trésorerie sera comblée graduellement au cours des années par l'augmentation des loyers et par le contrôle des dépenses.

PARTAGE DE L'ÉQUITÉ AVEC UN ASSOCIÉ

Une autre façon efficace de dégager du capital provenant des nouvelles valeurs de vos immeubles consiste à vous trouver un associé qui achètera une partie de l'équité que vous détenez dans un ou des immeubles. Ce processus n'est pas plus difficile que d'acheter un immeuble avec un associé. Il suffit de vendre une participation à 50 % (ou tout autre pourcentage) de vos immeubles selon leurs nouvelles valeurs établies entre les parties. De cette manière, vous allez récupérer une partie de votre mise de fonds initiale et la même proportion des nouvelles valeurs des immeubles concernés.

Reprenons l'exemple précédent où nous avions fait une acquisition au prix de 2 millions de dollars et dont la nouvelle valeur était de 2 600 000 $. Notre mise de fonds à l'achat était de 500 000 $ et l'augmentation de la valeur de l'immeuble est de 600 000 $. En vendant 50 % de notre équité, il est possible d'aller chercher 450 000 $, soit presque la totalité du 500 000 $ de dépôt initial. En examinant le tableau suivant, vous comprendrez facilement comment nous obtenons ce montant de 450 000 $:

NOUVEAU FINANCEMENT AVEC UN NOUVEL ASSOCIÉ

Nouvelle valeur	2 600 000 $
75 % de nouveau financement	1 950 000 $
Comptant requis	650 000 $
Prix payé	2 000 000 $
Hypothèque	1 500 000 $
Équité	500 000 $
Nouvelle valeur	2 600 000 $
Solde de l'hypothèque	1 500 000 $
Équivalent d'argent reçu	1 100 000 $
Moins la part du comptant de la nouvelle association (50 %)	325 000 $
Argent restant après la transaction	775 000 $

Très intéressant, n'est-ce pas ?

Vous récupérez votre montant initial de 500 000 $, plus 225 000 $ additionnels, plus une participation restante de 50 % dans le même immeuble qui continue à prendre de la valeur. Donc, une augmentation accrue par le fait même, grâce à la plus-value et à la capitalisation du nouveau prêt hypothécaire.

Ceci n'est pas une vente en soi, mais un nouveau financement avec l'ajout d'un associé sur les titres de propriété. Cet associé vous rembourse une partie de votre mise de fonds et vous financez ensemble à nouveau cet immeuble à sa nouvelle valeur marchande. Je vous recommande de faire vérifier cette stratégie par un comptable, car la loi de l'impôt évolue avec le temps.

Cette stratégie nécessite une bonne convention entre associés ou actionnaires afin de prévoir le plus possible les clauses de mésentente, de décès, d'insolvabilité d'un des associés ou des actionnaires, et le processus de vente des immeubles ou des actions détenus par les actionnaires. À cette étape, il est recommandé de consulter un avocat compétent afin qu'il vous propose et rédige une convention appropriée à votre situation, car c'est toujours du cas par cas. N'allez surtout pas utiliser une convention déjà toute faite et non adaptée à vos besoins. Vous pourriez vous en repentir un jour.

UNE COMBINAISON DES TROIS STRATÉGIES PRÉCÉDENTES

Il est aussi possible d'utiliser ces trois stratégies simultanément. Cela augmente vos façons de récupérer l'argent investi.

En résumé, il existe plusieurs manières de récupérer l'argent qu'on a investi de même que la plus-value générée par une propriété. Vous pouvez utiliser n'importe laquelle des quatre stratégies décrites dans ce chapitre. Chacune comporte ses avantages et ses désavantages. Vous devrez utiliser votre imagination et explorer différentes possibilités.

Peu importe la méthode que vous utiliserez, gardez toujours en mémoire vos objectifs d'investissement, qu'ils soient « agressifs » ou conservateurs, afin de maximiser l'accumulation de la richesse par la création de nouvelles valeurs et la récupération du maximum de ces mêmes valeurs. Nous essayons d'atteindre la richesse pour nous récompenser de tous nos efforts, pour jouir d'une qualité de vie supérieure et pour offrir à notre famille et à nous-mêmes une sécurité financière.

15

LES 5 CLÉS DU SUCCÈS DANS L'IMMOBILIER

Le but principal de ce livre est de vous fournir les outils nécessaires pour acquérir et gérer des propriétés à revenus une fois que vous les aurez repérées, de leur donner ensuite des valeurs ajoutées au moyen de techniques simples, et de récupérer finalement toutes ces valeurs par le biais de différentes stratégies de «sorties». Le processus par lequel on peut accomplir tout cela repose selon moi sur 5 clés essentielles du succès dans l'immobilier.

Ces 5 clés n'ont rien à voir avec la mécanique impliquant l'achat et la vente d'immeubles à revenus, mais elles ont plutôt rapport aux principes de vie fondamentaux. Ces lois ou principes ont un lien direct avec la psychologie humaine. Ces clés gouvernent nos pensées, lesquelles en retour dirigent nos actions et nos décisions. Le fait de ne pas bien comprendre ces clefs peut avoir un lien et un impact direct sur un possible échec.

LES 5 CLÉS POUR RÉUSSIR EN IMMOBILIER

1. comprendre la notion de risque;
2. dépasser la peur de l'échec;
3. accepter les responsabilités;
4. la persévérance;
5. définir votre sens de l'engagement.

1. COMPRENDRE LA NOTION DE RISQUE

Beaucoup de personnes ont une mauvaise perception du risque. Elles ne comprennent pas la différence entre prendre un risque et ne prendre aucun risque. Acheter un édifice à revenus? Jamais! C'est beaucoup trop risqué! Acheter des billets de loterie Certainement! Pourquoi pas? Vous ne pouvez pas gagner si vous ne jouez pas. Malheureusement, c'est l'attitude d'un grand nombre de personnes aujourd'hui. Qui plus est, cette attitude est passée d'une génération à l'autre.

Les enfants apprennent cette façon de voir en observant les croyances et les enseignements de leurs parents et des autres adultes autour d'eux. Maman dit : « Ne fais pas cela. Tu pourrais manquer ton coup. Vas-y de façon sécuritaire et trouve-toi un emploi stable. Ainsi, tu pourras avancer dans la vie en toute sécurité comme ton père ». Ce genre de langage vous semble-t-il familier ?

J'entends de telles choses autour de moi dans toutes les classes de la société. Les médias excellent à transmettre la peur. La presse à sensation est ce qui attire le plus les gens. Par conséquent, elle obtient de meilleures cotes d'écoute, plus de lecteurs de journaux et de revues. Combien de gens croient encore aujourd'hui que le succès financier est lié à la malhonnêteté ? Que l'argent est sale ! Qu'ils l'ont hérité ! Qu'ils ont gagné à la loterie ! Qu'est-il donc advenu du bon vieux travail gratifiant ? Est-ce encore possible que quelqu'un atteigne le succès par son travail, par ses investissements, son honnêteté et son intégrité ? Qu'il ait pris des risques calculés, qu'il ait été persévérant et passionné dans ce qu'il fait ?

Je ne me soucie en aucune façon de ce que les gens pensent de moi. Laissez-les penser ce qu'ils veulent. Ils ont droit à leurs idées et à leurs opinions tout comme j'ai droit aux miennes. Si vous êtes prêt à prendre des risques calculés pour obtenir le succès financier selon vos croyances, alors laissez les autres penser ce qu'ils veulent. N'écoutez plus ces gens qui tentent de vous décourager d'investir dans l'immobilier alors qu'ils n'ont jamais rien essayé eux-mêmes.

Ils ont peur de leur ombrage et ils n'essaieront jamais rien. Ils continueront à s'apitoyer sur leur sort sans rien tenter. Ils aiment mieux acheter des billets de loterie et croire que cela ne comporte aucun risque. C'est complètement faux. Le risque de perdre leur mise de fonds est presque de 100 %. Ils ont une chance sur plusieurs millions de détenir le numéro chanceux. Les casinos sont remplis de personnes qui prennent des risques non calculés en jouant et en misant sur des jeux de cartes ou des jeux vidéo. Soit dit en passant, le pire dans tout ça c'est qu'ils rêvent tous d'une vie meilleure, mais ils n'obtiendront probablement rien de plus que ce qu'ils ont déjà.

Il est possible d'investir dans l'immobilier avec un minimum de risques calculés. Celui ou celle qui fait vraiment ses devoirs, en cherchant des immeubles, en analysant les diverses données, en faisant des projections financières, en vérifiant des immeubles comparables et en payant le prix adéquat, ne court qu'un risque minime. Ses chances de succès et de gains sont presque assurées à 100 %.

2. DÉPASSER LA PEUR DE L'ÉCHEC

Un des plus grands obstacles de l'être humain est **la peur de l'échec.** De même que la notion de risque est mal expliquée dans l'équation du succès, la peur de l'échec nous retient dans nos décisions d'investissement. Je ne veux pas dire qu'il n'y a pas de possibilité d'échec mais plutôt que cette possibilité existe, et étant donné que l'échec est du domaine du possible, vous devez vous préparer à l'affronter adéquatement. L'échec fait partie de l'apprentissage. C'est un processus naturel dans tous les aspects de la vie. Ce n'est pas parce que vous avez fait une faillite que vous êtes vous-même un échec pour autant.

Vous devenez un échec seulement quand vous arrêtez d'essayer. Beaucoup de personnes sont paralysées par la peur de l'échec. Elles ne se rendent même pas au stade de l'échec, car elles n'essaient même pas. Elles sont effrayées rien qu'à penser à la possibilité de manquer leur coup. Elles ont peur de l'inconnu parce que cela les oblige à sortir de leur zone de confort. Elles ont peur de ce que les autres pourraient penser d'elles. Elles ont peur aussi de se sentir ridicules auprès de leurs amis et, encore plus, de leurs propres familles. On leur a dit que cela ne peut être fait... alors à quoi bon essayer ?

Votre cercle d'amis va changer au fur et à mesure de vos succès. La jalousie s'installera inconsciemment chez certains d'entre eux et ils tenteront de vous décourager de toutes les manières possibles. Vous devrez apprendre à choisir vos amis en fonction de votre réussite. Vous devrez en choisir qui seront un soutien et non une charge pour vous. Pour ce qui est des membres de votre famille, vous pourrez considérer leurs conseils et choisir ensuite les actions qui vous sembleront les meilleures pour vous-même, sans tenir vraiment compte de leurs opinions. Dès que votre famille constatera vos progrès, son attitude changera et ne soyez pas surpris si les membres de votre famille viennent, à l'occasion, vous demander des conseils.

Je constate, par mon expérience personnelle, que même si au fil des années je deviens de plus en plus à l'aise avec le risque, il arrive encore parfois que le petit garçon qui sommeille toujours en dedans de moi me dise : « *Je suis effrayé ! Je ne crois pas que je puisse faire cela.* » Une épouse ou un époux peut s'avérer d'un grand soutien pour vous aider à contrôler ou à éliminer vos peurs. Si tel est le cas, quel allié ou quelle alliée extraordinaire ! Sinon, je vous recommande de vous trouver un « coach » ou un mentor qui vous guidera dans votre cheminement en se basant sur ses expériences personnelles.

Napoleon Hill consacre un chapitre entier sur le thème de l'amour dans son livre *Réfléchissez et devenez riche.* Il écrit :

« L'amour, la romance et la sexualité sont des émotions capables d'élever l'humain au niveau des super réalisations. L'amour est l'émotion qui sert de soupape de sécurité et assure l'équilibre, l'énergie et l'effort constructifs. Lorsque combinées ensemble, ces trois émotions peuvent élever l'être humain à des niveaux inimaginables. »

3. ACCEPTER LES RESPONSABILITÉS

Le fait d'accepter de prendre des risques suppose que vous devez aussi accepter les responsabilités associées à ces risques. Vous êtes le seul responsable de votre succès ou de votre échec. Vous serez le seul à vous féliciter ou à vous blâmer. Votre responsabilité sera de bien faire vos devoirs d'analyse comme je vous les ai enseignés dans ce livre. Faites vos recherches, vos calculs, vos analyses de rentabilité. Approfondissez vos connaissances concernant votre marché, faites vos comparables, etc.

Vous avez la responsabilité de le faire. Plus vous agirez de façon responsable, moins vos risques seront élevés et vos chances de succès seront presque assurées. Utilisez les méthodes que je vous ai enseignées dans ce livre. Assistez à des séminaires de formation en immobilier. Trouvez-vous un « coach » et mentor. Le fait d'être guidé par un mentor d'expérience vous évitera beaucoup d'erreurs, améliorera votre confiance en vous et éliminera en grande partie le facteur de risque.

C'est votre responsabilité.

4. LA PERSÉVÉRANCE

La persévérance est non seulement essentielle pour obtenir du succès en immobilier, elle l'est tout autant pour atteindre le succès dans tous les aspects de la vie. Cette habileté qui nous rend capables d'affronter tous les défis de la vie est essentielle au développement et à la croissance personnelle de tout individu. Cela est parfaitement vrai quand on parle d'atteindre le succès financier.

Si vous voulez accumuler des valeurs financières ou des biens immobiliers, vous devrez consentir à y investir les efforts nécessaires. Cela ne viendra pas à vous comme on gagne à la loterie. Créer l'abondance, amasser une fortune, c'est comparable à n'importe quelle habileté que vous aimeriez développer. Cela requiert de la patience, de la persistance et le désir de persévérer jusqu'à l'atteinte de vos objectifs.

Pensez un instant aux habiletés et aux talents que vous possédez. Vous êtes peut-être un bon musicien, un excellent athlète ou encore un étudiant très studieux. Si vous êtes comme la majorité des gens, quel que soit votre niveau actuel de connaissances ou d'expertise, vous l'avez obtenu et développé après plusieurs années d'efforts acharnés, après avoir pris la décision d'exceller dans un champ d'activité que vous avez choisi. Au départ, rien ne vous était acquis.

Si vous êtes un athlète, personne ne vous a donné la première place, vous avez dû la mériter après des années et des années d'entraînement. Votre charme et votre belle apparence n'y ont joué aucun rôle. Rien n'est plus apprécié dans la vie que ce que nous avons mérité par le fruit de nos désirs et de nos efforts. Tout ce que nous obtenons facilement dans la vie ne nous apporte qu'une faible appréciation et une mince satisfaction.

Pensez seulement à ces enfants qui obtiennent facilement et sans effort tout ce qu'ils veulent de leurs parents. Avez-vous observé leur façon de traiter leurs biens. Ils brisent tout, ne prennent soin de rien, sont impolis, irrespectueux et, éventuellement, deviennent des adultes irresponsables. Qu'est-ce que cela leur enseigne ? Cela leur enseigne que tout le monde leur doit quelque chose. On les prive de l'occasion et du privilège d'en arriver à connaître et à apprécier la valeur du travail. Comme résultat final, ils deviennent égoïstes et en arrivent à croire que le monde entier doit être à leurs pieds.

La persévérance est un processus de conditionnement qui s'apprend on ne peut mieux au cours de la jeunesse. Essayez, recommencez, étudiez le succès des autres. Lisez, suivez des cours et des séminaires sur l'immobilier. Parlez avec d'autres investisseurs et posez-leur des questions. Intéressez-vous à leur façon de s'y prendre pour atteindre leurs succès et leurs objectifs.

Adoptez leurs méthodes et adaptez-les à vos objectifs. Tout est là à votre portée. Faites des évaluations, des analyses d'immeubles. Faites des offres d'achat. Observez les réactions des gens quand vous faites des offres ridicules. N'ayez pas peur de ces réactions. Demandez des conseils. Devenez membre d'un club immobilier.

(www.clubimmobilier.qc.ca).

Persévérez, persévérez, persévérez

5. DÉFINIR VOTRE SENS DE L'ENGAGEMENT

Tout comme le capitaine d'un bateau qui quitte le port et se dirige vers l'océan n'a pas seulement une destination précise en tête, il a aussi une mission bien particulière à réaliser jusqu'à son arrivée au prochain port. Tout comme ce capitaine, il est très important que vous sachiez pourquoi vous vivez aujourd'hui et vers quoi vous vous dirigez au cours de cette même journée. Posez-vous ces questions : « *Quel est mon engagement dans la vie ? Quels sont exactement mes espoirs et mes objectifs à atteindre dans ce processus de succès financier dans l'immobilier ?* »

Tout le processus de l'investissement immobilier n'est pas réalisable si vous n'avez pas pris, au départ, un engagement ferme. Il faut chercher, analyser, demander, offrir, affronter ses peurs et ses craintes ; recommencer, chercher du financement, administrer, régler des problèmes, affronter des refus ; recommencer à nouveau jusqu'à ce que l'on trouve l'immeuble qui nous convient.

Une fois que vous aurez réussi à en acheter un, le même processus se répétera encore et encore. Savez-vous quoi ? Après avoir répété ce processus pendant 10 ans, ne serait-ce qu'en achetant un seul immeuble par année, il y a de fortes chances que vous aurez atteint votre million en valeur nette.

Croyez-vous que cela vaut la peine de persévérer et de prendre cet engagement ? La réponse est tout simplement OUI ! Imaginez un seul instant la satisfaction et le bonheur que vous ressentirez ! Le sentiment du devoir accompli en atteignant vos objectifs. L'euphorie ressentie est indescriptible. Il faut le vivre pour le croire.

SOUVENEZ-VOUS DE CECI :

Je ne choisis pas d'être une personne ordinaire. C'est mon droit d'être hors du commun. Je cherche les occasions qui m'aideront à développer mes talents, et non pas seulement ma sécurité. Je ne souhaite pas de n'être qu'un citoyen captif du système. Je choisis de prendre des risques calculés, de rêver, d'affronter l'échec, de réussir.

Je préfère les défis que m'offre la vie et que l'existence garantit. Je préfère l'exaltation de l'accomplissement au calme de l'utopie. Mon héritage est de me tenir droit, fier et en toute sécurité ; de penser et d'agir par moi-même ; d'apprécier et de me réjouir des résultats de ma création ; d'observer mes réalisations et de me dire fièrement : *« Voici ce que j'ai accompli !!! »*

16

LA GESTION IMMOBILIÈRE

Sans donner un cours complet sur la gestion immobilière, il serait tout de même bon de comprendre certains points de cette science de l'administration, de la direction d'une organisation et de ses différentes fonctions, telles que :

- déterminer la méthode de gestion ;
- gérer les locataires ;
- comprendre la relation propriétaire-locataire ;
- protéger son investissement.

Devenir propriétaire d'immeubles signifie aussi devenir responsable de tout ce qui vient avec la propriété, allant de l'entretien jusqu'aux locataires desquels on hérite à l'achat de l'immeuble. Jusqu'à maintenant, vous n'avez probablement géré que vos affaires personnelles et vous voyez l'investissement immobilier comme un placement lucratif. Ou peut-être avez-vous déjà occupé un poste similaire à la gestion, mais en prenant toujours soin d'éviter les contraintes inévitables qu'entraînent les relations humaines entre les gens.

Devenir propriétaire d'immeubles signifie plus que de faire un investissement d'argent et d'espérer un retour sur son investissement. Comme je le mentionne lors de mes séminaires, l'investissement immobilier est un placement actif dans lequel vous devez vous impliquer jusqu'à un certain niveau. Nous verrons dans ce chapitre les principaux points sur lesquels réfléchir dans la gestion de vos immeubles. Comme propriétaire, vous détenez une responsabilité et si vous choisissez de confier l'administration de vos immeubles à une firme indépendante, vous serez responsable des personnes qui vont agir en votre nom.

Ce chapitre vous aidera à décider si vous devez administrer vous-même votre immeuble ou si vous ne devriez pas plutôt confier cette charge à une personne de confiance ou à une entreprise de gestion immobilière. Il vous montrera aussi comment établir de bonnes relations avec vos locataires, qui sont, somme toute, vos clients.

Dans cette optique, vous apprendrez comment attirer des locataires qui vous causeront le moins de problèmes possible. Nous verrons quelques droits et responsabilités que les propriétaires et les locataires ont l'un envers l'autre, de même que les façons de régler les malentendus qui peuvent se produire à l'occasion. De plus, nous verrons comment établir les règles de base qui vous suivront tout au long de votre carrière de gestionnaire immobilier.

CHOISIR UN GESTIONNAIRE IMMOBILIER

Vous avez investi dans l'immobilier pour y faire de l'argent. L'une des clés du succès dans l'immobilier, c'est d'acheter dans le bon secteur de votre ville et au meilleur moment du cycle immobilier. Il faut aussi être un gestionnaire intelligent et prudent, car c'est une part importante du processus d'investissement. Quoi ? Vous ne vous sentez pas à la hauteur pour être un bon gestionnaire ! Eh bien, vous pourrez toujours confier cette tâche à un spécialiste qui fera ce travail à votre place.

Nous prendrons en considération ici tout ce qui touche à la gestion d'immeubles, et ce, que vous décidiez de faire la gestion vous-même ou de la confier à quelqu'un de spécialisé dans ce domaine. Plusieurs investisseurs débutants remettent en vente leur immeuble et le vendent à perte, simplement parce qu'ils deviennent fatigués, frustrés et stressés par les problèmes de gestion qu'ils ont très souvent créés eux-mêmes. L'élément qui leur manque pour tirer leur épingle du jeu, c'est tout bonnement certaines connaissances et habiletés dans la gestion immobilière.

Pour avoir une bonne gestion immobilière, il ne s'agit pas seulement de prendre des décisions administratives judicieuses afin d'augmenter la valeur d'un immeuble. Il faut avant tout bien choisir ses locataires, faire en sorte de combler le plus possible les logements vacants, augmenter les loyers raisonnablement, diminuer les dépenses, etc. Voilà autant de facteurs qui feront que vos immeubles prendront de la valeur avec le temps. Contrôler le fonctionnement de toutes ces composantes fait partie intégrante du processus de gestion immobilière.

AUTOGÉRER OU NON?

Là est la question! Comme propriétaire d'immeubles, vous aurez à vivre et à gérer différentes situations tout aussi importantes les unes que les autres:

- des locataires qui paient leur loyer en retard;
- des locataires qui dérangent;
- des logements non loués (taux d'inoccupation);
- des changements de locataires;
- du vandalisme;
- la gestion des liquidités monétaires;
- des mésententes entre locataires;
- des plaintes, qu'elles soient réelles ou futiles;
- l'entretien, qui n'a jamais de fin en soi.

Si vous éprouvez des difficultés avec ce genre de situation sur une base régulière, alors vous devriez peut-être envisager l'embauche d'une personne qualifiée pour ce genre de travail, et qui n'est pas engagée sur le plan émotionnel, comme vous pouvez l'être.

Pour vous aider à décider si vous devriez administrer ou non vos immeubles, jetez un regard honnête sur la situation et tenez compte de tout: l'état de l'immeuble, vos habiletés, vos connaissances, vos intérêts et le bénéfice potentiel que vous pourriez retirer de confier ces tâches ou ces besognes à quelqu'un d'autre.

METTRE LES CHAUSSURES D'UN GESTIONNAIRE IMMOBILIER

L'inquiétude et les défis ne sont pas conformes aux normes de l'investissement immobilier. Si c'était le cas, je vous recommanderais d'opter pour d'autres véhicules d'investissement. Il importe encore davantage, quand vous achetez un immeuble en bon état, de prévoir un certain surplus de trésorerie, car vous ne voulez certainement pas vous retrouver dans une situation où les maux de tête sont constants du fait que vos dépenses sont plus grandes que vos revenus, et que votre investissement n'est pas l'aubaine que vous espériez.

Est-ce une bonne idée de gérer vous-même vos immeubles? Examinez les points suivants pour motiver votre décision:

- **La catégorie et le nombre d'immeubles que vous possédez:** un immeuble est plus facile à administrer que plusieurs, et un portefeuille de 6 propriétés à revenus ne vous laissera pas autant de temps pour toute l'attention que vous aimeriez accorder à votre propre résidence et à vos loisirs. Connaître ses limites dans ce domaine revêt une importance capitale.
- **La taille des immeubles: c**ertains immeubles résidentiels sont tellement imposants, en matière de locataires à gérer, qu'ils nécessitent de recourir aux services d'un gestionnaire spécialisé, et ce, même si c'est votre seul immeuble. Il est certes plus facile d'administrer un entrepôt dont vous êtes le propriétaire, même si la taille du bâtiment est plus grande qu'un édifice à revenus, et surtout s'il n'y a qu'un seul locataire dans l'édifice au complet. Cela nous donne à réfléchir pour déterminer à partir de combien de logements devrions-nous utiliser les services d'un gestionnaire extérieur? Les données ci-dessous devraient y répondre adéquatement.
- **Votre source de revenu principale:** si vous avez déjà d'excellents revenus et que le fait de gérer vos immeubles s'avère moins rentable que de jouir de votre source de revenu principale, alors il serait certes préférable de laisser quelqu'un d'autre faire le travail pour vous et à moindre coût.
- **Votre intérêt et votre expérience en gestion immobilière:** tout s'apprend, dit-on, et il vaut peut-être mieux vous occuper vous-même de cette gestion, au début, du moins pour voir de quoi il en retourne, et ce, pendant un certain temps. Cela vous permettra de constater quel genre de personne vous devrez envisager de chercher pour ce poste, si l'essai n'a pas été concluant pour vous. Combien de gens ont été démotivés de l'investissement immobilier à faire la gestion de leurs immeubles. S'ils avaient confié cette tâche à un spécialiste, peut-être seraient-ils encore dans l'investissement immobilier. La gestion immobilière est vraiment une spécialité, et quand on gère ses propres immeubles, il arrive que nous soyons un peu trop émotifs, et que nos décisions soient influencées et affectées par ce débordement d'émotions.

Votre temps et votre tranquillité d'esprit valent certainement plus que de gérer vous-même vos immeubles et d'en être malheureux. Il serait sans doute préférable de vous offrir les services d'un gestionnaire compétent. Là est votre intérêt !

CHOISIR DE GÉRER VOUS-MÊME

Maintenant que vous avez une vague idée des avantages et des désavantages d'administrer vos immeubles par vous-même, vous vous interrogez certainement pour savoir dans quelles circonstances vous devriez essayer de les gérer. Eh bien, je suis ravi que vous vous en informiez.

La plupart du temps, les propriétaires de petits immeubles à revenus de moins de huit logements s'occupent eux-mêmes de la gestion de leurs immeubles. Il en est de même des maisons unifamiliales et des duplex qui sont, en règle générale, sous la supervision de leurs propriétaires. Ils sélectionnent les locataires et s'occupent eux-mêmes de l'entretien. Les plus gros immeubles, eux, peuvent requérir l'expertise d'un gestionnaire extérieur et que l'entretien soit également confié à des personnes spécialisées dans l'entretien et les réparations.

D'un autre côté, même si vous décidez d'administrer vous-même vos immeubles, ne vous sentez pas obligé de prendre en charge l'entretien de routine comme la pelouse, les tâches de maintenance, le déneigement, la peinture, etc. Vous pouvez donner ces services à contrat à l'extérieur, et d'autant plus si vous êtes propriétaire de plusieurs immeubles. D'ailleurs, la plupart de ces travaux peuvent-être effectués par les locataires eux-mêmes en échange d'un remboursement ou d'une diminution sur le loyer du mois où les travaux sont exécutés.

L'autogestion sera peut-être nécessaire si vos immeubles sont à l'extérieur des grands centres où les gestionnaires d'immeubles sont moins présents. L'aspect positif de cette situation, c'est que dans les banlieues, les immeubles sont en général plus petits. Ils ne nécessitent peut-être pas alors de gestionnaires, aussi pourrez-vous vous acquitter vous-même de cette tâche.

Même si vous n'avez pas l'intention de gérer vous-même vos immeubles, il vous serait certainement utile de connaître les principes de la gestion immobilière. Plusieurs cégeps, chambres immobilières et associations de propriétaires offrent des cours sur la gestion immobilière. Chose certaine, cela vous aidera dans le choix de vos gestionnaires et aussi dans l'expansion que vous voulez donner à vos investissements immobiliers.

SOLLICITER DE L'AIDE EXTÉRIEURE

Si vous décidez d'embaucher un gestionnaire pour vos immeubles, deux options s'offrent à vous. Pour un immeuble résidentiel, vous pouvez choisir un gestionnaire résident – vraisemblablement un des locataires – pour vaquer aux tâches quotidiennes.

Vous pouvez opter aussi pour les services d'une firme professionnelle et spécialisée dans la gestion immobilière, qui ajoutera votre ou vos immeubles aux autres qu'ils ont déjà comme contrats de gestion. Cette option dépend évidemment des avantages que vous verrez à utiliser une telle solution, compte tenu de la complexité de l'immeuble à gérer.

En général, seuls les immeubles de 8 logements et plus justifient d'avoir sur place un gestionnaire résident (un concierge). Analysez sérieusement les avantages et les désavantages dans tous les sens afin d'être certain que le fait de confier sa gestion à quelqu'un d'autre en vaut vraiment la peine.

UN LOCATAIRE COMME GESTIONNAIRE (CONCIERGE)

Utiliser les services d'un de vos locataires comme gestionnaire présente des avantages et des inconvénients. Vous pouvez lui accorder une réduction de loyer en échange de ses services, ce qui peut s'avérer beaucoup plus économique que d'embaucher une firme spécialisée. De plus, le gestionnaire locataire est familier avec l'édifice et il a tout intérêt à ce que l'immeuble soit en bonne condition, que l'entente règne entre les locataires et que les règlements de l'immeuble soient respectés. Il arrive très souvent qu'on confie cette responsabilité à un couple vivant dans l'immeuble et au bout du compte, ils font d'excellents gestionnaires.

Pour occuper le poste de gestionnaire résident, vous devriez rechercher les qualités suivantes :

- l'honnêteté et l'intégrité ;
- qu'il soit consciencieux et soucieux de faire le travail et non pas seulement d'obtenir une réduction de loyer ;
- l'habileté d'assumer les responsabilités qui s'imposent ;
- une personnalité agréable ;

- le temps, les habiletés et les connaissances nécessaires pour superviser l'immeuble et pour en faire le nettoyage et l'entretien.

Les responsabilités et les tâches du gestionnaire résident peuvent varier, mais elles incluent habituellement les fonctions suivantes :

- la perception des loyers ;
- faire les dépôts ;
- maintenir propres les aires communes ;
- faires les réparations mineures ;
- faire visiter les logements à louer ;
- remplir les formulaires de location ;
- faire un rapport au propriétaire des loyers perçus, de l'état des lieux et des travaux d'entretien à effectuer ;
- vous aviser le plus rapidement possible de tous les problèmes ;
- de bien vous représenter auprès des autres locataires.

Combien allez-vous payer le gestionnaire résident ? Cela dépendra de plusieurs facteurs tels que :

- ses tâches et ses responsabilités ;
- du nombre de logements dans l'immeuble ;
- du niveau d'entretien et d'améliorations à apporter ;
- de sa quantité d'interventions vis-à-vis des autres locataires (paiement des loyers, bruits, etc.) ;
- des rapports et des tâches administratives que vous lui demanderez.

Son salaire pourrait varier d'une diminution de loyer d'un certain pourcentage jusqu'à 100 % de son loyer. Il se peut aussi qu'il reçoive un supplément si la tâche ou les travaux fournis sont exceptionnels. Bref, il n'y a pas vraiment de règles formelles établies, c'est plutôt du cas par cas.

Le gestionnaire résident de petits immeubles doit se faire respecter par les autres locataires. S'il n'est pas respecté, cela pourrait entraîner plus de problèmes que de faire le travail vous-même. D'où l'importance de bien choisir son gestionnaire résident et d'informer les autres locataires qu'il vous représente. Il est en quelque sorte vos yeux.

UNE ENTREPRISE DE GESTION IMMOBILIÈRE

Les propriétaires d'immeubles de plus de 12 logements, aussi bien que des propriétaires qui vivent à l'extérieur de la ville, font administrer leurs immeubles par des firmes spécialisées dans le domaine de la gestion immobilière. En échange d'honoraires, variant entre 2 à 5 % des revenus bruts de l'immeuble, vous avez l'avantage de travailler avec des spécialistes qui sont probablement plus expérimentés que vous.

Voici les avantages particuliers au fait de confier la gestion de vos immeubles à une firme professionnelle :

- l'entreprise adopte des procédures de gestion de tenue des livres éprouvées, des pratiques comptables et un système de gestion bien établi, réduisant ainsi les problèmes au minimum ;
- l'entreprise a accès à de multiples fournisseurs et bénéficie déjà d'escomptes d'achat de quantité et d'un meilleur service ;
- vous éviterez le lourd processus de sélection de gens de la maintenance, alors que l'entreprise de gestion a déjà des employés et des entrepreneurs spécialisés dans ce domaine ;
- les relations avec les locataires deviennent la responsabilité de la société de gestion choisie, incluant la visite des appartements, la sélection des locataires, la négociation des ententes, la signature des baux et veiller au respect des règlements ;
- percevoir les loyers, payer les factures, maintenir les registres comptables. Votre tâche se limitera à réviser et approuver les comptes rendus mensuels afin de vous assurer que les opérations fonctionnent adéquatement.

Comme la compagnie de gestion n'effectuera que les tâches que vous leur assignerez, vous pouvez aussi autoriser le choix d'un gestionnaire résident (concierge), si vous en voyez l'utilité. Comme toute entente d'affaires, vous devriez signer un contrat de gestion avec l'entreprise choisie afin de définir clairement le rôle et les fonctions que vous leur confiez. Il en va de même pour le concierge.

DEVENIR UN EMPLOYEUR

Tout comme vous devez le faire avec une firme de gestion, il est recommandé de signer une entente écrite avec une gestionnaire résident. Voici quelques principes de base à privilégier lors du choix de votre gestionnaire et des tâches qui seront sous sa responsabilité :

- fournir une description des tâches faisant l'inventaire des principaux rôles à jouer à titre de gestionnaire ;
- développez un manuel de procédures et de politiques auxquelles le gestionnaire pourra se reporter s'il y a lieu et dans les cas suivants : une situation d'urgence, une mésentente entre les locataires, un bris de tuyaux, une panne de courant, un incendie, bref, tout événement inhabituel ;
- dans le contrat, stipulez bien son mode de rémunération, de même que le délai de préavis de cessation de fonction de part et d'autre.

Au Canada, les gestionnaires d'immeubles auront de préférence un titre de gestionnaires immobiliers certifiés (Certified Property Manager, CPM), après avoir suivi une série de cours proposés par Real Estate Institute of Canada (www.reic.ca).

LA TRANSITION AVEC LES LOCATAIRES LORS D'UNE NOUVELLE ACQUISITION

Pour vous assurer que le changement de propriété se fera en douceur et que vos relations avec les nouveaux locataires débutent bien, il est recommandé de vous présenter à eux le plus rapidement possible. Informez-les des améliorations et changements que vous désirez apporter et cherchez à développer une relation solide avec les locataires en place.

Lorsqu'un immeuble change de propriétaire, la règle première d'une transition sans choc violent, c'est de garder à l'esprit que plusieurs locataires sont inquiets relativement aux intentions du nouveau propriétaire. Ils seront surtout anxieux des augmentations de loyer à venir, de l'entretien et des réparations générales de l'édifice, et surtout quant aux améliorations qu'ils aimeraient dans leur appartement.

Un changement de propriétaire qui se fait sans harmonie peut vous rendre la transition plus difficile, et un départ houleux par rapport aux relations entre les locataires et vous peut vous créer une mauvaise réputation ; ce qui vous rendrait la partie plus difficile lors de la location des appartements.

VOUS PRÉSENTER AUX LOCATAIRES

Que vous administriez vous-même votre immeuble ou que vous confiez la tâche à un gestionnaire, il est toujours pertinent de vous présenter comme nouveau propriétaire à chaque locataire. Plusieurs propriétaires préfèrent demeurer discrets (de garder un profil bas), en partie par crainte d'être reconnus, advenant le cas où certains locataires deviendraient insatisfaits, ce qui pourrait causer des problèmes éventuels.

D'un autre côté, une relation personnalisée avec les locataires, et particulièrement pour les petits immeubles (12 logements et moins) peut aider la cause en cas de difficulté. En ce qui me concerne, j'ai toujours utilisé l'approche personnalisée en traitant mes locataires le plus humainement possible, en écoutant leurs demandes, tout en demeurant ferme sans être trop amical, mais dans le respect absolu.

Si vous planifiez de recourir aux services d'un gestionnaire, il est préférable de le présenter aux locataires en même temps que vous. Cette démarche renforcera son autorité et assurera que la transition se fera doucement.

Ces présentations devraient être préparées et brèves. Une bonne méthode de présentation est que le vendeur de l'immeuble prépare une lettre d'information avisant les locataires que vous êtes le nouveau propriétaire. Essayez d'organiser votre visite à un moment qui dérangera le moins possible vos nouveaux locataires. Affichez une lettre d'information, sur le babillard, dans le hall d'entrée de l'immeuble, indiquant le jour et l'heure de votre visite. Pour ceux qui seront absents, glissez la lettre que le vendeur vous aura remise sous le seuil de la porte de leurs logements.

Souvenez-vous qu'une approche personnalisée sera grandement appréciée de tous et aura comme conséquence une meilleure relation propriétaire-locataire.

QUELQUES CONSEILS PRATIQUES

DES TRAVAUX D'ENTRETIEN MAJEURS

Voici quelques situations qui nécessitent une attention particulière :

- **Les aires communes**: tenez-les informés de ce à quoi ils doivent s'attendre et de ne pas se surprendre de voir un étranger se promener autour ou dans l'immeuble.
- **Des travaux majeurs et la pelouse**: ne leur faites pas la surprise d'apercevoir soudainement une échelle dans une de leurs fenêtres. Ils devraient en être avisés dès que des travaux d'importance sont prévus sur le terrain, à l'intérieur et à l'extérieur de l'immeuble.
- **Entretien des infrastructures**: Avisez-les si vous devez fermer l'entrée d'eau principale ou vérifier le système d'alarme, d'incendie. Faires ces travaux sans les en aviser au préalable n'est certainement pas la meilleure façon de se faire des amis et d'entretenir de bonnes relations avec vos locataires

CULTIVER DE BONNES RELATIONS

- faire parvenir des cartes de souhaits pour leur anniversaire, à Noël;
- maintenir les aires communes en excellent état et agréables en tout temps;
- offrir peut-être de petits cadeaux ou des lettres d'appréciation, à l'occasion.

Peu importe la simplicité des gestes, cela améliorera vos relations, augmentera le degré de fidélisation des locataires à votre égard, tout en facilitant l'acceptation de vos augmentations de loyer éventuelles.

ATTIRER DE NOUVEAUX LOCATAIRES

Tôt ou tard, certains de vos locataires déménageront et vous devrez les remplacer. En trouver de nouveaux qui respecteront votre immeuble et qui y demeureront le plus longtemps possible nécessite une certaine méthode de travail et d'analyse.

Avant même d'entamer cette étape où vous devrez choisir des locataires potentiels, vous devez bien connaître le genre d'immeuble que vous possédez afin d'attirer une clientèle qui y corresponde. Un immeuble de 24 logements n'attire pas la même clientèle qu'un triplex, et les gens habitués de vivre dans un triplex ne sont généralement pas intéressés à habiter dans un immeuble de 100 logements.

CONNAÎTRE LA DYNAMIQUE DE SON IMMEUBLE

Observez attentivement le profil des locataires types qui résident actuellement dans votre immeuble. Si vos locataires sont essentiellement de jeunes professionnels, il serait mal venu de louer à de jeunes étudiants de première année collégiale qui risquent de faire la fête régulièrement et de troubler la quiétude des autres locataires, qui eux, cherchent plutôt la tranquillité. D'un autre côté, si vous possédez un immeuble dans lequel la majorité des locataires sont des résidents à court terme, vous voudrez probablement orienter vos recherches pour trouver des locataires plus stables.

Considérez les facteurs suivants afin de bien connaître tout ce qui concerne votre immeuble :

- la catégorie de vos locataires : leur âge, leur statut social, travailleur, étudiant, chômage, assistés sociaux, etc. ;
- la durée moyenne d'occupation des loyers dans votre immeuble ;
- l'atmosphère de l'immeuble ;
- la proximité des services : épicerie, transport en commun, école, réseau routier, etc.

LES DIVERSES OPTIONS OFFERTES POUR VOS ANNONCES PUBLICITAIRES

Devriez-vous annoncer par le biais du réseau Internet ou par les journaux locaux ? Vaut-il mieux de simplement installer une annonce À LOUER sur votre immeuble ? Comment et où annoncer vos logements à louer, voilà qui déterminera en grande partie le genre de locataires potentiels que vous attirerez.

Bien cibler vos démarches publicitaires vous aidera à réduire le nombre de candidatures de gens qui ne correspondent pas à votre clientèle cible, et qui n'ont pas de réel intérêt, par surcroît, à habiter votre immeuble. Évidemment, mieux vaut trouver de nouveaux locataires sérieux que de vous exposer au spectre des logements vacants.

Il existe plusieurs ressources à utiliser pour publiciser vos logements. Certains médias pourront être meilleurs que d'autres pour attirer l'attention sur vos appartements à louer ou pour couvrir des segments du marché qui intéressent une clientèle distincte.

En général, les principaux moyens d'annoncer vos logements sont :

- les journaux locaux et régionaux ;
- les différents sites Internet ;
- les babillards ou tableaux d'affichage dans divers endroits : les aires communes, épicerie, etc. ;
- les pancartes À LOUER ;
- les agences de location ;
- les autres locataires ;
- votre réputation ou la réputation de l'immeuble lui-même.

Aucune publicité en particulier ne vous garantira des locataires potentiels qui correspondront aux locataires types que vous recherchez. Utiliser un mélange de plusieurs méthodes publicitaires vous attirera un bon échantillonnage de candidats intéressés à louer chez vous. Votre texte fera toute la différence.

Bien entendu, le cycle économique du marché immobilier exerce une influence certaine sur la stabilité des locataires et aussi sur la facilité d'en trouver d'autres. Lorsque le taux de logements vacants sur le marché est de 0,5 %, les locataires ne déménagent presque pas. Dans ces conditions, si vous aviez un appartement à louer, il se louerait en un temps record.

En revanche, si le taux de logements vacants est de 5 %, vous risquez à ce moment-là d'avoir plus de difficultés à le louer et vous devrez alors utiliser des moyens alléchants afin d'attirer de nouveaux locataires comme, par exemple, un mois de loyer gratuit sur un bail de 12 mois, peinture fournie pour rafraîchir les pièces, etc.

DEMANDER ET VÉRIFIER LES RÉFÉRENCES

Il est de toute première importance de savoir à qui vous louez, avant même de les laisser prendre possession de vos logements. N'oubliez surtout pas que vous allez laisser un parfait étranger habiter votre immeuble. Assurez-vous autant que possible que ces nouveaux locataires ne transforment pas votre immeuble en bordel, en piquerie ou en un endroit désagréable où vivre, et qu'ils seront en mesure de payer leur loyer.

Vous devez effectuer un minimum de vérifications ou les faire effectuer par des firmes spécialisées. À titre d'exemple, la CORPIQ (Corporation de propriétaires immobiliers du Québec) offre à ses membres un service d'enquête prélocation.

Les points importants à vérifier lors d'une enquête prélocation sont :

- l'historique de location : la fréquence des déménagements ;
- l'historique d'emploi : sa stabilité, son salaire ;
- une vérification d'emploi ;
- la vérification du crédit ;
- les références personnelles ;
- le nom des parents et amis : au cas où il déménagerait sans avertir.

Souvenez-vous que c'est le seul moment où vous maîtrisez la situation à 100 %, car une fois qu'il a emménagé dans votre immeuble et qu'il vous crée des problèmes, la plupart des litiges doivent être réglés devant la régie du logement. Il ne faut d'ailleurs pas oublier que cette régie a été créée à l'origine avant tout pour protéger les droits des locataires.

Accepter un locataire peut parfois être un coup de dés ou une question de jugement de votre part, car peu importe les vérifications que vous aurez effectuées, des surprises sont toujours possibles. Surtout ne louez jamais votre logement, sans faire un minimum de vérifications, à quelqu'un qui est particulièrement pressé d'emménager. Par expérience, il y a toujours anguille sous roche quand un locataire arrive et veut à tout prix s'installer le lendemain même.

LA PRUDENCE EST DE MISE

LES DROITS ET RESPONSABILITÉS DES LOCATAIRES ET DES PROPRIÉTAIRES

Dans la province de Québec, tous les droits et les responsabilités des propriétaires et des locataires sont régis par la loi de la Régie du logement. Vous pouvez obtenir une copie de cette loi publiée par *Publications du Québec* chez tous les bons libraires ou à un comptoir de *Publications du Québec.*

Sans vouloir aller trop dans les détails, il est tout de même bon d'expliquer ici quelques notions élémentaires :

- le droit de savoir : un locataire a le droit de connaître le nom du propriétaire ou de la personne en charge de la gestion de l'immeuble, afin de pouvoir communiquer avec lui ou elle, etc.
- le droit de refus : un propriétaire a le droit de limiter ou de refuser un sous-locataire. Les droits et méthodes de sous-location sont très bien définis dans la loi de la régie du logement.
- le droit à la vie privée : les locataires ont droit à la quiétude de leur logement. Un propriétaire doit donner un préavis de 24 heures avant d'aller dans un logement afin d'y faire des travaux. Il va de soi que s'il y a urgence et que le locataire est absent, le propriétaire peut toujours entrer dans un logement. Si la relation est bonne entre le propriétaire et le locataire, certains locataires accepteront un délai plus court pour l'accès à leur logement.

CONNAÎTRE SES RESPONSABILITÉS

En raison d'abus que certains propriétaires et locataires ont commis par le passé, il y a eu législation afin de déterminer un cadre de relation entre les deux parties. Voici quelques-unes des responsabilités propres au locataire ou au propriétaire :

- le préavis de fin de bail ;
- le bail ;
- les procédures de reprise de logement ;
- le maintien des lieux en bon état ;
- le civisme ;
- le respect des règlements de l'immeuble ;
- l'augmentation de loyer.

En aucun temps le harcèlement, de la part du propriétaire ou du locataire, ne devrait exister. Les relations devraient être le plus professionnelles possible, comme dans toutes les transactions d'affaires.

En cas de mésentente ou litige, la régie du logement est là pour régler les litiges possibles lorsque les deux parties n'arrivent pas à trouver un terrain d'entente. Elle peut faire certaines recommandations de cet ordre :

- parlez à vos locataires ;
- reportez-vous au bail et aux règlements de l'immeuble ;
- vérifiez avec la régie du logement quels sont vos droits et vos responsabilités ;
- essayez l'arbitrage ;
- faites une demande auprès de la régie.

LE CLUB DES INVESTISSEURS IMMOBILIERS DU QUÉBEC

WWW.CLUBIMMOBILIER.QC.CA

Le Club des investisseurs immobiliers du Québec (CIIQ)

Le Club des investisseurs immobiliers du Québec est un organisme sans but lucratif (OSBL) qui a vu le jour en janvier 2001. Ce regroupement est une ressource inestimable pour les investisseurs. Il compte maintenant plusieurs milliers de membres qui ont bénéficié de nombreux avantages et ont vu les rendements sur leurs investissements immobiliers s'améliorer.

Sa mission est de permettre aux investisseurs immobiliers, tant débutants qu'avancés, d'avoir accès à des ressources les aidant à cheminer vers leurs objectifs. Le club représente donc une source incroyable de contacts et une banque d'informations évolutive.

Une soirée mensuelle permet aux membres de se regrouper et d'avoir accès à de la formation continue. En effet, chaque mois, des conférenciers experts dans différents domaines relatifs à l'immobilier viennent vous informer sur les besoins et les exigences de l'industrie. Que ce soit des investisseurs à succès, un banquier, un notaire, un inspecteur de bâtiments, un syndic de faillite, un motivateur, il y a beaucoup de connaissances à partager. Le besoin est réel car beaucoup de personnes ne savent pas par où commencer lorsqu'il s'agit d'acheter leur premier immeuble.

Le but de la soirée est également de vous donner l'occasion de faire des contacts et de créer une synergie ; ce qui est de la plus haute importance lorsqu'on est en affaires.

En bref, le but du club est avant tout de créer une ambiance propice à l'entraide et au développement personnel de ceux et celles qui veulent évoluer dans le domaine de l'immobilier. L'investisseur bien entouré voit ses chances de réussite multipliées.

CONNAISSANCES = PUISSANCE = RICHESSE

Visitez le www.clubimmobilier.qc.ca pour plus d'informations.

LOGEONS NOS FAMILLES

Le CIIQ a une bonne cause à cœur, celle d'aider des familles défavorisées à se loger. En ce sens, nous avons mis sur pied la bourse LOGEONS NOS FAMILLES qui permet à ces familles dans le besoin de se loger gratuitement pour une période d'un an (maximum 7 000 $). Cette initiative permettra à ces personnes de reprendre leur vie en main en se libérant du fardeau financier de leur loyer. Si vous connaissez une famille qui pourrait avoir besoin de ce type d'aide, visitez le site :

www.clubimmobilier.qc.ca/logeons_nos_familles.html

Vous y trouverez les détails concernant les bourses et les qualifications requises pour y avoir droit.

SÉMINAIRES DE FORMATION

Une série de cours et de séminaires de formation sont offerts au grand public. En voici quelques-uns :

SÉMINAIRE SUR L'INVESTISSEMENT IMMOBILIER : TRUCS ET ASTUCES DES PROS (IMMOBILIER 1)

Dans ce séminaire d'une journée que je présente une dizaine de fois par année, je propose à une centaine de participants ma recette que j'ai mise au point au fil de mes 30 années d'expérience.

Voici quelques-uns des sujets que je partage avec vous lors de cette journée :

- se bâtir un excellent crédit ;
- repérer des immeubles jusqu'à 30 % en bas de leur valeur ;
- déterminer la valeur d'un immeuble ;
- faire un profit instantané à l'achat ;
- augmenter votre avoir net de 100 % par année ;
- négocier vos acquisitions ;
- acheter avec un minimum de comptant ;
- les différentes techniques de profit ;

- gérer ses immeubles ;
- les reprises bancaires ;
- se bâtir une fortune ;
- acheter une maison au prix de gros pour y habiter.

Pour connaître la date du prochain séminaire :

www.clubimmobilier.qc.ca/formationimmo1.html

COACHING

Je donne de la formation sous forme de coaching en groupe. Ce programme de 60 heures, présenté sur une période de 10 mois, apprend aux participants les trucs du métier. Il sert à leur apporter de la compétence, à leur faire bien comprendre tout le processus de l'investissement immobilier, à leur épargner une multitude d'erreurs qui pourraient les conduire à un marasme économique ; il sert aussi à leur transmettre la sagesse d'un investisseur d'expérience et une quantité incroyable de techniques de financement créatif, d'évaluation immobilière, de gestion, etc.

Si vous désirez en savoir davantage sur cette formation hors du commun, visitez le site :

www.clubimmobilier.qc.ca/coaching.html

LA SEMAINE DES MILLIONNAIRES

Au mois de mars, une fois l'an, nous prenons l'avion pour le Sud dans un hôtel 5 étoiles avec une cinquantaine de passionnés de l'immobilier. Une formation spéciale présentée dans un véritable paradis. De quoi alimenter de façon extraordinaire votre vision.

Pour plus de détails sur cet événement :

www.clubimmobilier.qc.ca/sud.html

Visitez le site du club afin de consulter la liste de tous les cours et séminaires offerts.

www.clubimmobilier.qc.ca

D'AUTRES RESSOURCES

Pour que vous puissiez utiliser efficacement la liste suivante, prenez une feuille de papier et tenez compte de tous les éléments de prospection de la propriété. Consultez le site Internet www.club immobilier.qc.ca pour retrouver ces données sous forme de tableau.

FEUILLE DE PROSPECTION

Sur une feuille de papier, prenez soin de noter l'adresse de l'immeuble que vous prospectez et les données suivantes pour le repérer parmi tous les immeubles qui vous intéresseront. Sur cette même feuille, répondez du mieux que vous pouvez aux questions qui suivent.

- adresse de l'immeuble ;
- ville ;
- province ;
- référence ;
- téléphone.

Pour chacune des questions où vous répondez positivement, attribuez-vous un point.

QUESTIONS PROPRES À L'IMMEUBLE

- Pouvez-vous changer la fonction de l'immeuble ?
- Pouvez-vous l'acheter à un prix relativement inférieur au marché ?
- Pouvez-vous augmenter les loyers de façon significative ?
- Pouvez-vous effectuer des rénovations mineures qui augmenteront la valeur de l'immeuble ?

INFLUENCES ÉCONOMIQUES DU SECTEUR

- Y a-t-il une augmentation de la demande dans le secteur ?

- Y a-t-il couramment des ventes au-dessus du prix demandé ?
- Y a-t-il une augmentation du coût du matériel et de la main-d'œuvre ?
- Observez-vous beaucoup d'investissements spéculatifs ?
- Est-ce un secteur en transition (augmentation de la qualité) ?
- Comment sont les transports en commun ?
- Est-ce situé dans un secteur très en demande ?
- L'immeuble est-il situé dans un secteur du cycle PRINTEMPS OU ÉTÉ ?
- Est-ce que les dirigeants politiques favorisent une atmosphère de croissance ?
- La croissance du secteur est-elle supérieure à celle de la province ?
- Le secteur a-t-il un attrait quelconque pour les baby-boomers ?
- Les revenus du secteur augmentent-ils plus que la moyenne provinciale ?
- Comment se comporte le taux d'intérêt ?

TOTAL (un minimum de 6 points est nécessaire)

Est-ce que cet immeuble peut être inclus dans votre système ?
Vous rapproche-t-il de votre objectif ?

Vous pouvez remplir ce formulaire en allant sur le site : www.clubimmobilier.qc.ca

VÉRIFICATION DILIGENTE

Une vérification diligente est obligatoire pour chaque immeuble que vous envisagez d'acheter. Que vous soyez un associé silencieux, un actionnaire d'une entreprise ou seul à effectuer votre achat, vous devez absolument faire votre propre vérification diligente. La liste qui suit vous fournira l'essentiel des questions à vous poser et à partir desquelles travailler, vous assistera pour formuler les questions principales auxquelles vous devez répondre. Inscrivez vos réponses sur une feuille de papier.

NE SAUTEZ AUCUNE ÉTAPE.

EMPLACEMENT

- Combien de points avez-vous obtenus sur la feuille de prospection d'immeubles (minimum 6) ?
- Quelle est la nature de l'économie locale (unifamiliale, commerciale, industrielle, mixte) ?
- Dans quel secteur de la ville est situé votre immeuble (vieux, nouveau, en transition) ?
- Quel est le style des immeubles environnants ?
- Quelle est sa qualité principale versus l'ensemble des autres immeubles du secteur ?
- Quels services municipaux retrouve-t-on autour ?
- transport en commun ; centre commercial ; école ; collège ; université ; industries majeures.

L'IMMEUBLE

- Quelle est l'apparence extérieure ? (1 à 10)
- Quelle est l'apparence intérieure ? (1 à 10)
- Comment l'immeuble a-t-il été entretenu ? (1 à 10)
- Y a-t-il de l'entretien requis dans les 12 prochains mois ?

Si oui, dressez-en la liste sur votre feuille de papier.

Si oui, quel est le coût estimé des travaux ?

- L'immeuble a-t-il été inspecté par un inspecteur de bâtiments qualifié ?

Sinon, quand sera-t-il mandaté ?

- Y a-t-il un certificat de localisation récent (moins de 5 ans) ?

Poursuivez votre vérification en tenant compte des points suivants :

- tous les titres de propriétés ;
- les rapports d'ingénieur lors de la conversion en copropriété divise ;
- la cadastration verticale préparée par l'arpenteur-géomètre ;
- le contrat de copropriété préparé par son notaire ;
- les certificats de localisation récents pour chaque unité de condo ;
- la décision de la régie du logement autorisant la conversion ;
- la décision de la municipalité autorisant la conversion ;
- tous les baux ;
- les comptes de taxes municipale et scolaire ;
- le rapport d'évaluateur agréé démontrant la valeur de l'immeuble ;
- tous les contrats signés ayant rapport audit immeuble ;
- les livrets de dépôts bancaires ;
- les états bancaires ;
- les avis d'augmentation de loyer ;
- les avis de refus d'augmentation de loyer ;
- la liste des locataires protégés par la conversion en condo ;
- les avis de non-renouvellement de bail ;
- les avis de résidence familiale des locataires ou du conjoint du vendeur ;
- les détails sur la réserve du syndicat des copropriétaires ;
- la liste de toutes les personnes intéressées à acheter ou louer la propriété ;
- et tous les documents administratifs et d'opérations courantes relatifs à ladite propriété.

RÉFÉRENCES

SITES INTERNET RELIÉS À L'IMMOBILIER

SITES CRÉATIFS SUR L'IMMOBILIER

www.clubimmobilier.qc.ca – Le site du Club d'investisseurs immobiliers du Québec. OSBL ayant pour mission de favoriser la synergie des investisseurs immobiliers. Formation, réseautage, rencontres mensuelles, coaching, etc. **www.caféimmobilier.com** – Affilié au site du club, il offre un forum, des entrevues sur vidéoclip, des annonces classées, etc. Ce site est un complément du Club d'investisseurs immobiliers du Québec.

www.CarletonSheet.com – Site sur l'investisseur à succès Carleton Sheet. Vous y trouverez une tonne de ressources pour le financement créatif et l'investissement immobilier dans les plex et les maisons unifamiliales.

www.argent9.com – Site sur les mouvements d'argent et techniques créatives d'utilisation des cartes de crédit. Le webmestre est très créatif et nous invite à ouvrir nos esprits à l'abondance.

www.forsythegroup.com – Le site de mon entreprise de formation. Le Groupe Forsythe International Inc. et les services offerts : consultation, financement privé.

www.richdad.com – Le site de Robert Kiyosaki, un des grands gourous de la richesse aux États-Unis.

www.creonline.com – Creative Real Estate Online. Ce site est une source incroyable d'idées sur le financement créatif. Entièrement en anglais. Il est en ligne depuis 1994. Un incontournable pour l'investisseur désireux de mieux comprendre l'investissement immobilier créatif.

www.papergame.com – Site sur l'escompte d'hypothèque. Des techniques pour calculer la rentabilité de vos jeux avec les papiers.

www.johnbeck.tv – Cours sur l'achat de ventes pour taxes. Plusieurs aubaines vous attendent. Par contre, il faut bien connaître les règles du jeu.

www.guidesperrier.com – Les guides Perrier. Un portail consacré à l'habitation. Très bien fait.

ÉVALUATION MUNICIPALE/VILLES

Vous trouverez ici des liens vers les sites Internet de municipalités et vous pourrez avoir accès aux rôles d'évaluation foncière.

http://evalweb.cum.qc.ca/	Montréal
www.cum.qc.ca	Communauté urbaine de Montréal
www.bromont.net	Bromont
http://eval.ville.laval.qc.ca/	Laval
www.ville.st-hyacinthe.qc.ca	Saint-Hyacinthe
www.ville.longueuil.ca	Longueuil
www.ville.sainte-therese.qc.ca	Sainte-Thérèse
www.ville.brossard.qc.ca	Brossard
www.ville.granby.qc.ca	Granby
www.ville.repentigny.qc.ca	Repentigny
www.marieville.com	Marieville
www.ville.quebec.qc.ca	Québec
www.ville.boisbriand.qc.ca	Boisbriand
www.ville.beloeil.qc.ca	Belœil
www.ville.candiac.qc.ca	Candiac
www.ville.chambly.qc.ca	Chambly
www.ville.laprairie.qc.ca	La Prairie
www.ville.mont-saint-hilaire.ca	Mont Saint-Hilaire
www.ville.otterburnpark.qc.ca	Otterburn Park
www.ville.saint-basile-le-grand.qc.ca	Saint-Basile-Le-Grand
www.ville.saint-constant.qc.ca	Saint-Constant
www.ville.sainte-julie.qc.ca	Sainte-Julie
www.ville.alma.qc.ca	Alma
www.ville.anjou.qc.ca	Anjou
www.ville.beauharnois.qc.ca	Beauharnois
www.ville.beauport.qc.ca	Beauport
http://ville.becancour.qc.ca	Bécancour
www.ville.bellefeuille.qc.ca	Bellefeuille
www.ville.boucherville.qc.ca	Boucherville
www.ville.buckingham.qc.ca	Buckingham
www.ville.cap-de-la-madeleine.qc.ca	Cap-de-la-Madeleine
www.ville.chateauguay.qc.ca	Châteauguay

www.ville.coaticook.qc.ca	Coaticook
http://chicoutimi.qc.ca	Chicoutimi
www.ville.contrecoeur.qc.ca	Contrecœur
www.cloxt.com/ville-deux-montagnes/	Deux-Montagnes
www.city.dorval.qc.ca/dorval/index.html	Dorval
www.villede.farnham.qc.ca	Farnham
www.gatineau.com	Gatineau
www.ville.hull.qc.ca	Hull
www.ville.jonquiere.qc.ca	Jonquière
www.ville.kirkland.qc.ca	Kirkland
http://cum.qc.ca/lachine	Lachine
www.ville.laplaine.qc.ca	La Plaine
www.ville.lasalle.qc.ca	Lasalle
www.ville.legardeur.qc.ca	Le Gardeur
http://ville.lennoxville.qc.ca	Lennoxville
http://ville.levis.qc.ca	Lévis
www.ville.mirabel.qc.ca	Mirabel
www.ville.plessisville.qc.ca	Plessisville
www.ville.repentigny.qc.ca	Repentigny
www.ville.rosemere.qc.ca	Rosemère
www.pageweb.qc.ca/st-bruno	Saint-Bruno-de-Montarville
www.st-colomban.com	Saint-Colomban
www.ville.saint-eustache.qc.ca	Saint-Eustache
www.ville.saint-jerome.qc.ca	Saint-Jérôme
www.sainte-julienne.com	Sainte-Julienne
www.ville.saint-laurent.qc.ca	Ville Saint-Laurent
www.ville.saint-leonard.qc.ca	Saint-Léonard
http://municipalite.saint-sauveur.qc.ca	Saint-Sauveur
www.saint-sauveur.net	Saint-Sauveur-des-Monts
www.ville.sainte-therese.qc.ca	Sainte-Thérèse
www.ville.valleyfield.qc.ca	Salaberry-de-Valleyfield
http://ville.sherbrooke.qc.ca	Sherbrooke

www.sutton-info.qc.ca	Sutton
www.terrebonne.qc.ca	Terrebonne
www.v3r.net	Trois-Rivières
www.valdavid.com	Val-David
www.ville.varennes.qc.ca	Varennes
www.ville.vaudreuil-dorion.qc.ca	Vaudreuil-Dorion
www.cum.qc.ca/cum-fr/villes/verdunf.htm	Verdun
www.ville.victoriaville.qc.ca	Victoriaville
www.ville.waterloo.qc.ca	Waterloo
www.infoville.ca	Site où l'on retrouve une base de données à jour sur les municipalités du Québec. Si vous cherchez une ville qui n'est pas dans la liste ci-dessus, vous la trouverez ici.

FINANCEMENT/CRÉDIT

www.schl.ca – La Société canadienne d'hypothèque et de logement (SCHL) est un organisme gouvernemental qui a non seulement pour mission de faciliter l'accès à la propriété aux Canadiens grâce à l'assurance hypothécaire, mais il représente également une source incroyable d'informations (statistiques, études de marchés, etc.) pour l'investisseur immobilier.

www.genworth.com – Compagnie privée qui est l'équivalente de la SCHL, qui n'assure que des hypothèques pour les propriétaires occupants.

www.equifax.ca – Vous aurez accès sur le site d'Equifax Canada à votre dossier de crédit. Découvrez ce que le prêteur verra sur vos habitudes de crédit avant même de le rencontrer.

www.tuc.ca – L'autre agence de crédit canadienne, TransUnion, est tout aussi importante à consulter afin de corriger les erreurs qui pourraient s'y retrouver.

RECHERCHE / ACHAT / VENTE / LOCATION

www.registrefoncier.gouv.qc.ca Le Registre foncier du Québec. Tout ce qui est inscrit au Bureau de la publicité des droits du Québec s'y retrouve. Vous avez accès à l'index, aux immeubles, aux actes de vente, aux actes hypothécaires, aux préavis d'exercice, aux déclarations de transmission. Vous aurez besoin du numéro de lot de la propriété pour laquelle vous désirez trouver de l'information.

www.sia.ca – SIA, le site où vous pouvez chercher des propriétés parmi toutes celles inscrites par des agents immobiliers. De la maison unifamiliale jusqu'à 5 logements. Le site en anglais est MLS.

www.icx.ca – ICX. Le volet commercial et industriel de SIA (6 logements et plus).

www.lespac.com – Le site par excellence des petites annonces au Québec.

www.relationcanada.com – Vous y trouverez des annonces de terrains et immeubles commerciaux à vendre par des particuliers et des agents immobiliers.

www.duproprio.com – Vous trouverez ici des propriétés à vendre directement par le propriétaire.

www.appart-zone.com – Site conçu pour afficher vos logements à louer.

www.louez.com – Site intéressant de petites annonces précisément pour louer ses logements.

www.micasa.ca – Beaucoup de propriétés sont disponibles directement du propriétaire ou par le biais d'agents immobiliers.

www.visitenet.com – Site où vous trouverez des propriétés à vendre, à louer, neuves et usagées ainsi que les coordonnées de différents professionnels et commerçants en rapport avec l'immobilier.

www.annoncez.com – Très bon site de petites annonces.

DROIT

www.condolegal.com – Ce site a été conçu par les organisateurs du salon de la copropriété. Vous y trouverez beaucoup d'information sur la copropriété divise et indivise.

www.condoliaison.org – Regroupement des gestionnaires de copropriétés du Québec. Encore plus d'information sur la copropriété au Québec.

www.lexum.umontreal.ca/ccq/fr/index.html – Si vous avez besoin de consulter le Code civil du Québec, c'est l'endroit où aller.

www.ginettemeroz.com – Excellente avocate spécialisée en immobilier offrant des services relativement aux vices cachés, aux négociations, aux conventions d'actionnaires, à la consultation, etc.

GOUVERNEMENT

www.rdl.gouv.qc.ca – Site de la Régie du logement du Québec. Vous y trouverez de l'information pertinente à la fois sur vos droits et responsabilités en tant que locateur, et sur le processus de conversion d'immeubles à logements en copropriétés divises et indivises.

www.shq.gouv.qc.ca – Société d'habitation du Québec (SHQ). Vous trouverez ici de l'information sur l'habitation au Québec, mais aussi sur des programmes de subvention offerts par cette société gouvernementale.

www.rdprm.gouv.qc.ca – Registre des droits personnels et réels mobiliers (RDPRM).

www.req.gouv.qc.ca/ – Registre des entreprises du Québec (REQ). Pour trouver de l'information sur des entreprises québécoises et leurs propriétaires ou actionnaires.

www.cra-arc.gc.ca/ – Site de l'Agence du revenu du Canada.

http://strategis.ic.gc.ca – Strategis est un site mis sur pied par Industrie Canada pour les entreprises et les consommateurs canadiens. Vous y trouverez une banque incroyable d'informations.

www.revenu.gouv.qc.ca – Site de Revenu Québec.

www.siq.gouv.qc.ca – Site de la Société immobilière du Québec.

www.mamr.gouv.qc.ca – Ministère des Affaires municipales et des régions.

CONSTRUCTION

www.apchq.com – L'association provinciale des constructeurs d'habitations du Québec. Beaucoup d'information sur la construction et les entrepreneurs québécois. Garantie d'habitation, formations, etc.

www.chra-achru.ca – Association canadienne d'habitation et de rénovation urbaine.

www.acq.org – Association de la construction du Québec (ACQ).

www.gomaison.com – Pour trouver de l'information pertinente sur l'acquisition d'une maison neuve.

www.rbq.gouv.qc.ca – Site de la Régie du Bâtiment du Québec. Informations sur les lois et règlements de la construction au Québec. Vous pouvez également vérifier si votre entrepreneur possède une licence en vigueur.

www.aee.gouv.qc.ca – Site de l'agence de l'efficacité énergétique. Pour avoir de l'information sur les tendances vertes de l'habitation.

ASSOCIATIONS

www.crea.ca – Association canadienne de l'immeuble.

www.acaiq.com – Association des courtiers et agents immobiliers du Québec.

www.corpiq.com – Corporation des propriétaires immobiliers du Québec.

www.ascq.qc.ca – Association des syndicats de copropriété du Québec.

www.aibq.qc.ca – Association des inspecteurs de bâtiments du Québec.

www.cdnq.org – Chambre des notaires du Québec.

www.indemnisation.org – Fonds d'indemnisation du courtage immobilier.

AUTRES CLUBS IMMOBILIERS EN AMÉRIQUE DU NORD

www.reicny.org – Real Estate Investors of Central New York.

www.re-investors.com – Central Florida Realty Investors.

www.memphisinvestorsgroup.com – Memphis Investors Group.

www.reiptherewards.com – Real Estate Investors Publication (Floride).

www.reimw.com – Real Estate investors Metropolitan Washington.

www.ontariorein.com – Ontario's Real Estate Investment Network.

www.albertarein.com – Alberta's Real Estate Investment Network.

INSTITUTIONS FINANCIÈRES

Voici les sites Internet des principales institutions financières du Canada.

www.desjardins.com – Caisses populaires Desjardins.

www.bnc.ca – Banque Nationale du Canada.

www.bmo.com – Banque de Montréal.

www.banqueroyale.com – Banque Royale.

www.banquelaurentienne.com – Banque Laurentienne.

www.scotiabank.ca – Banque Scotia.

www.tdbank.ca – Banque TD.

www.cibc.com – CIBC.

www.hsbc.ca – HSBC.

COURTIERS IMMOBILIERS

www.immoconseilglc.com – Immo-conseil GLC, ma compagnie de courtage immobilier.

www.remax.ca – Re/Max

www.sutton.com – Sutton

www.patricemenard.com – Cet agent immobilier affilié à Sutton est spécialisé dans l'immeuble à revenus. Ce site contient un extranet très utile pour l'investisseur immobilier. Vous y trouverez même des propriétés à vendre sans agent. Vous devrez vous inscrire par téléphone avant de pouvoir l'utiliser.

www.royallepage.ca – Royal LePage.

www.lacapitale.com – La Capitale.

www.propriodirect.com – Proprio Direct : Ne vous fiez pas au nom. Cette compagnie, bien que très créative est un véritable courtier immobilier agréé.

www.c21.com – Century 21. Le plus grand réseau de courtiers immobiliers au monde. Moins présent au Québec.

COURTIERS HYPOTHÉCAIRES

www.bobmortgagemail.com – Site de Robert Amato

www.h123.ca – Site de Pela Nickoletopoulos de l'Intelligence hypothécaire, où vous pouvez trouver du financement hypothécaire à 100 % pour type d'immeubles jusqu'aux quadruplex.

www.invis.ca – Invis.

www.hypotheca.ca – Hypotheca.

www.multi-prets.com – Multi-Prêts hypothèque.

SERVICES

www.hydroquebec.com – Si vous cherchez à savoir le coût d'électricité relié à une propriété.

www.gazmetro.com – Si vous désirez connaître les coûts de chauffage reliés à un immeuble, visitez le site Internet de Gaz métropolitain.

www.postecanada.ca – Le site par excellence pour trouver le code postal à partir d'une adresse civique.

www.canada411.ca – Pour trouver le téléphone d'un propriétaire ou d'un professionnel.

BIBLIOGRAPHIE

ABAGNALE, Frank W., *L'Art de la fraude*, Stanké, 2003, 340 p.

ALLEN, David, *Getting Things Done, The Art of Stress-Free Productivity*, Penguin Book, 2001, 267 p.

ALLEN, Robert, *Creating Wealth*, Fireside Books, 1986, 304 p.

ALLEN, Robert, *Nothing Down For The 2000s*, Free Press, 2004, 301 p.

ARCHOUR, Dominique, *Investissement et financement immobilier*, Fischer Presses, 1989.

Auteur inconnu, *Why S.O.B.'s Suceed And Nice Guys Fail In A Small Business*, Financial management associates, Inc., 1976.

BACH, David, *Start Late, Finish Rich*, The FinishRich Books, 2005, 358 p.

BACH, David, *The Automatic Millionaire*, The FinishRich Books, 2004, 240 p.

BACH, David, *The Finish Rich Workbook*, The FinishRich Books, 2005, 203 p.

BECKLEY, Ed, *No Down Payment Formulas*, Bantam Books, 1987, 265 p.

BEITLER, Todd, *How to Buy And Profit From Bank Foreclosures*, The Real Estate Library, 1994, 357 p.

BELSKY, Gary et GILOVICH, Thomas, *Pourquoi les gens intelligents font de grave erreurs financières : Comment les éviter*, Éditions Transcontinental, 2001, 199 p.

BRASSARD, Éric, *Un chez-moi à mon coût*, Éric Brassard, 2000, 276 p.

BRONCHOCK, William et DAHLSTORM, Robert, *Flipping Properties*, Dearborn Trade Publishing, 2001, 214 p.

BURLEY'S, John, *Progressive Profits Real Estate System*, Progressive Profits LLC., 2005 161 p.

CAMPELL, Don R., *Real Estate Investing in Canada, Wiley*, 2005, 268 p.

CANFIELD, Jack, VICTOR HANSEN, Mark, HEWITT, Les, *La Force du focus*, Sciences et Culture, 2000, 349 p.

CAUGHMAN, Joyce, *Real estate prospecting : Strategies for farming your markets*, Real Estate Education Company, 1994, 224 p.

CHILDERS, John, *The Lazy Way To Buy Real Estate*, Regency books, 1985, 175 p.

CHILTON, David, *Un barbier riche*, Trécarré, 1993, 212 p.

COOK, Wade, *How To Build a Real Estate Money Machine*, ITP Inc., 1983, 225 p.

DECIMA, Jay, *Fixer Houses*, 1985, Cours sur 8 cassettes et livre, 64 p.

ESCULIER, Colette, *Comment acheter intelligemment*, Uriel, 2005
FISHER, Marc, *Le Millionnaire paresseux*, Un monde différent, 2006, 240 p.
FISHER, *Le Millionnaire*, Un monde différent, 1997, 120 p.
FISHER, Marc, *Les Principes spirituels de la richesse*, Un monde différent, 2005, 192 p.
FRIEDMAN, Jack et HARRIS, Jack, *Keys To Investing In Real Estate*, Barron's Educational Series, 2000, 170 p.
GRAY, Douglas, *101 StreetSmart Condo Buying Tips for Canadians*, Wiley, 2006, 223 p.
GRAY, Douglas, *Mortgages Made easy*, Wiley, 2006, 256 p.
GUAY, Christian, *Les immeubles à logements multiples*, Le carrefour immobilier, 1997,
HAROLDSEN, Mark, *Goal's, Guts, and Greatness*, National institute of Financial Planning Inc., 1978, 438 p.
HAROLDSEN, Mark, *How To Wake Up The Financial Genius Inside Of You*, Marko enterprises. 1976, 176 p.
HAROLDSEN, Mark, *Le courage d'être riche*, Un monde différent, 1987, 250 p.
HEDGES, Burke, *Vous inc.*, Un monde différent, 2005, 240 p.
HICKS, Tyler, *How To Make Millions In Real Estate In 3 Years Starting With No Cash*, Prentice hall press, 2000, 268 p.
HILL, Napoleon, *Réfléchissez et devenez riche*, Les Éditions de L'Homme, 1966, 194 p.
HIRTZMANN, Ludovic, *Se loger au Québec*, MultiMondes, 2002, 110 p.
HOLMES, Douglas, ABBOTT, Charles, ALLEN, Richard et HAROLDSEN, Mark. *The Millionaire Mindset*, 1987, 390 p.
KIYOSAKI, Robert et LETCHER, Sharon L., *Père riche, Père pauvre*, Un monde différent, 2001, 280 p.
KIYOSAKI, Robert et LETCHER, Sharon L., *Père riche, Père pauvre (la suite)*, Un monde différent, 2001, 280 p.
KIYOSAKI, Robert T., *The ABC's of Real Estate investing*, Warner Books, 2004, 200 p.
KOLLEN, Melissa, *Buying Real Estate Foreclosures*, McGraw-Hill, 1992, 214 p.
KYLE, Property management, *Real Estate Education Company*, third edition.
LAPIDES, Paul D., Managing and leasing Residential Properties, John Willey & Sons Inc., 1992.
LOWRY, Albert, *How To Manage real estate Successfully In Your Spare Time*, Simon and Schuster, 1977, 299 p.
MORGENSTERN, Julie, *Gérez votre temps, vivez pleinement*, ADA, 2002.
MUSE, Charles, *How To "Deal" Like a Millionaire And Get Rich On Borrowed Money*, Parker publishing Company, 1980, 282 p.

PACETTI, Eilen and RABIANSKI, Joseph, *Selecting a Property Management Firm*, Real estate review, 1993.

PROVENCHER, Martin, *Comment acheter ma première propriété,* Transcontinental, 2006, 336 p.

ROBINSON, Leigh, *Landlording*, ExPress, 1988, 350 p.

SHARMA, Robin S., *Le moine qui vendit sa Ferrari,* Un monde différent, 1999, 240 p.

SHARMA, Robin S., *La sagesse du moine qui vendit sa Ferrari*, Un monde différent, 2000, 304 p.

SHAUB, John, W,. *Building wealth one house at a time,* McGraw-Hill, 2005, 231 p.

SHEETS, Carleton, *No Down Payment*, The professional education institute, 1985-2005.

SHEETS, Carleton, *The Greatest Wealth Builder*, The professional education institute, 1998, 313 p.

SHEMIN, Robert, *Secrets Of a Millionaire Real Estate Investor*, Dearborn, 2000, 245 p.

SHEMIN, Robert, Successful Real Estate Investing : *How to Avoid the 75 Most Costly Mistakes Every Investor Makes*, 2004, 241 p.

SOLIS, Michel, *Votre PME et le droit,* Transcontinental, 2001, 184 p.

STANLEY, Thomas et DANKO, William, *The Millionaire Next Door*, Pocket Books, 1996, 258 p.

STEACY, Richard, *Canadian Real Estate : How To Make It Play,* Musson Books Company, 1981, 290 p.

STEFANCHIK, John, *Paper Dynamics*, J. & R. Associates, 1987, 8 cassettes.

STEFANCHIK, John, *Profits Thru Paper*, J. & R. Associates, 1985, 8 cassettes.

VICTOR HANSEN, Mark, ALLEN, Robert G., *Millionnaire Minute, ADA*, 2003, 402 p.

VINCENT, Ray, *Il n'en tient qu'à vous !,* Un monde différent, 2007, 192 p.

VINCENT, Ray, *La Pensée constructive et le bon sens*, Raffin, 2005, 153 p.

VU, Tom, *Profit Seminar : How To Buy Real Estate At Wholesale*, Personnal financial advancement seminars Canada, 1985, 113 p.

WAYNER, Stephen, *Buying Right Getting Started In Real Estate Investment*, Franklin watts, 1987, 247 p.

WITHNEY, Russ, *Building Wealth : From Rags To Riches Through Real Estate,* Fireside Books, 1994, 283 p.

WITHNEY, Russ, *Millionaire real Estate Mentor,* Dearborn, 2003, 325 p.

CHEZ LE MÊME ÉDITEUR:

Liste des livres:

« 45 secondes » qui changeront votre vie, *Don Failla*

52 façons de développer son estime personnelle et sa confiance en soi, *Catherine E. Rollins*

52 façons simples de dire « Je t'aime » à votre enfant, *Jan Lynette Dargatz*

1001 maximes de motivation, *Sang H. Kim*

L'ABC d'une bonne planification financière, *Marc Beaudoin, Philippe Beaudoin et Pierre-Luc Bernier*

Abracadabra, comment se transformer en un bon gestionnaire et un grand leader, *Diane Desaulniers*

Accomplissez des miracles, *Napoleon Hill*

Agenda du Succès *(formats courant et de poche), éditions Un monde différent*

Aidez les gens à devenir meilleurs, *Alan Loy McGinnis*

À la recherche de soi et de l'autre, *Marilou Brousseau*

À la recherche d'un équilibre: une stratégie antistress, *Lise Langevin Hogue*

Allez au bout de vos rêves, *Tom Barrett*

Amazon.com, *Robert Spector*

Amour de soi: Une richesse à redécouvrir (L'), *Marc Gervais*

Ange de l'espoir (L'), *Og Mandino*

Anticipation créatrice (L'), *Anne C. Guillemette*

À propos de…, *Manuel Hurtubise*

Apprivoiser ses peurs, *Agathe Bernier*

Art de réussir (L'), *collectif de conférenciers*

Ascension de l'âme, mon expérience de l'éveil spirituel (L'), *Marc Fisher*

Athlète de la Vie, *Thierry Schneider*

Attitude 101, *John C. Maxwell*

Attitude d'un gagnant, *Denis Waitley*

Attitude gagnante: la clef de votre réussite personnelle (Une), *John C. Maxwell*

Attitudes pour être heureux, *Robert H. Schuller*

Avant de quitter votre emploi, *Robert T. Kiyosaki et Sharon L. Lechter*

Bien vivre sa retraite, *Jean-Luc Falardeau et Denise Badeau*

Bonheur et autres mystères, suivi de La Naissance du Millionnaire (Le), *Marc Fisher*

Bonheur s'offre à vous: Cultivez-le ! (Le), *Masami Saionji*

Cancer des ovaires (Le), *Diane Sims*

Ces forces en soi, *Barbara Berger*
Chaman au bureau (Un), *Richard Whiteley*
Changez de cap, c'est l'heure du commerce électronique, *Janusz Szajna*
Chanteur de l'eau (Le), *Marilou Brousseau*
Chemin de la vraie fortune (Le), *Guy Finley*
Chemins d'Emma Rose (Les), *Emma Rose Roy*
Chemins de la liberté (Les), *Hervé Blondon*
Chemins du cœur (Les), *Hervé Blondon*
Choix (Le), *Og Mandino*
Cinquième Saison (La), *Marc André Morel*
Cœur à Cœur, l'audace de Vivre Grand, *Thierry Schneider*
Cœur plein d'espoir (Le), *Rich DeVos*
Comment réussir l'empowerment dans votre organisation? *John P. Carlos, Alan Randolph et Ken Blanchard*
Comment se faire des amis grâce à la conversation, *Don Gabor*
Comment se fixer des buts et les atteindre, *Jack E. Addington*
Communiquer : Un art qui s'apprend, *Lise Langevin Hogue*
Communiquer en public : Un défi passionnant, *Patrick Leroux*
Contes du cœur et de la raison (Les), *Patrice Nadeau*
Coupables… de réussir, *collectif de conférenciers et de formateurs*
Créé pour vivre, *Colin Turner*
Créez votre propre joie intérieure, *Renee Hatfield*
Cupidon à Wall Street, *Pierre-Luc Poulin*
Dauphin, l'histoire d'un rêveur (Le), *Sergio Bambaren*
Débordez d'énergie au travail et à la maison, *Nicole Fecteau-Demers*
Découverte par le Rêve (La), *Nicole Gratton*
Découvrez le diamant brut en vous, *Barry J. Farber*
Découvrez votre destinée, *Robin S. Sharma*
Découvrez votre mission personnelle, *Nicole Gratton*
De la part d'un ami, *Anthony Robbins*
Dépassement total, *Zig Ziglar*
Destin : Sérénité, *Claude Norman Forest*
Développez habilement vos relations humaines, *Leslie T. Giblin*
Développez votre leadership, *John C. Maxwell*
Devenez la personne que vous rêvez d'être, *Robert H. Schuller*
Devenez influent, neuf lois pour vous mettre en valeur , *Tony Zeiss*
Devenez une personne d'influence, *John C. Maxwell et Jim Dornan*
Devenir maître motivateur, *Mark Victor Hansen et Joe Batten*

Dites oui à votre potentiel, *Skip Ross*
Dix commandements pour une vie meilleure, *Og Mandino*
Dix secrets du succès et de la paix intérieure (Les), *Wayne W. Dyer*
De docteur à docteur, *Neil Solomon*
Don (Le), *Richard Monette*
École des affaires (L'), *Robert T. Kiyosaki et Sharon L. Lechter*
En route vers le succès, *Rosaire Desrosby*
Envol du fabuleux voyage (L'), *Louis A. Tartaglia*
Esprit qui anime les gagnants (L'), *Art Garner*
Eurêka ! *Colin Turner*
Éveillez en vous le désir d'être libre, *Guy Finley*
Éveillez votre pouvoir intérieur, *Rex Johnson et David Swindley*
Évoluer vers le bonheur intérieur permanent, *Nicole Pépin*
Excès de poids et déséquilibres hormonaux, *Neil Solomon*
Facteur d'attraction (Le), *Joe Vitale*
Faites la paix avec vous-même, *Ruth Fishel*
Faites une différence, *Earl Woods et Shari Lesser Wenk*
Favorisez le leadership de vos enfants, *Robin S. Sharma*
Feu sacré du succès (Le), *Patrick Leroux*
Fonceur (Le), *Peter B. Kyne*
Formation 101, *John C. Maxwell*
Fuir sa sécurité, *Richard Bach*
Graines d'éveil, *Vincent Thibault*
Guide de survie par l'estime de soi, *Aline Lévesque*
Guide pour investir, *Robert T. Kiyosaki et Sharon L. Lechter*
Hectares de diamants (Des), *Russell H. Conwell*
Homme est le reflet de ses pensées (L'), *James Allen*
Homme le plus riche de Babylone (L'), *George S. Clason*
Homme qui voulait changer sa vie (L'), *Antoine Filissiadis*
Il faut le croire pour le voir, *Wayne W. Dyer*
Il n'en tient qu'à vous ! *Ray Vincent*
Illusion de l'ego (L'), *Chuck Okerstrom*
Indépendance financière grâce à l'immobilier (L'), *Jacques Lépine*
Initiation : récit d'un apprenti yogi (L'), *Hervé Blondon*
Intuition : savoir reconnaître sa voix intérieure et lui faire confiance, *J. Donald Walters*

Jeune de cœur : André Lejeune, une voix vibrante du Québec (Le), *Marilou Brousseau*
Je vous défie ! *William H. Danforth*
Joies du succès (Les), *Susan Ford Collins*
Journal d'un homme à succès, *Jim Paluch*
Joy, tout est possible ! *Thierry Schneider*
Jus de noni (Le), *Neil Solomon*
Laisser sa marque, *Roger Fritz*
Leader, avez-vous ce qu'il faut ?, *John C. Maxwell*
Leadership 101, *John C. Maxwell*
Légende des manuscrits en or (La), *Glenn Bland*
Lever l'ancre pour mieux nourrir son corps, son cœur et son âme, *Marie-Lou et Claude*
Livre des secrets (Le), *Robert J. Petro* et *Therese A. Finch*
Lois de l'harmonie (Les), *Wayne W. Dyer*
Lois dynamiques de la prospérité (Les), *Catherine Ponder*
Magie de croire (La), *Claude M. Bristol*
Magie de voir grand (La), *David J. Schwartz*
Maître (Le), *Og Mandino*
Mana le Dauphin, *Jacques Madelaine*
Marketing de réseaux, un mode de vie (Le), *Janusz Szajna*
Massage 101, *Gilles Morand*
Maux pour le dire… simplement, *Suzanne Couture*
Mémorandum de Dieu (Le), *Og Mandino*
Messagers de lumière, *Neale Donald Walsch*
Mes valeurs, mon temps, ma vie ! *Hyrum W. Smith*
Miracle de l'intention (Le), *Pat Davis*
Mission ? Passions ! *Aline Lévesque*
Moine qui vendit sa Ferrari (Le), *Robin S. Sharma*
Moments d'inspiration, *Patrick Leroux*
Momentum, votre essor vers la réussite, *Roger Fritz*
Mon bonheur par-delà mes souffrances, *Vania et Francine Fréchette*
« Mon père, je m'accuse d'être heureux », *Linda Bertrand* et *Bill Marchesin*
Né pour gagner, *Lewis Timberlake et Marietta Reed*
Noni et le cancer (Le), *Neil Solomon*
Noni, cet étonnant guérisseur de la nature (Le), *Neil Solomon*
Noni et le diabète (Le)
Noni et ses multiples avantages pour la santé (Le), *Neil Solomon*

Nos enfants riches et brillants, *Robert T. Kiyosaki et Sharon L. Lechter*
Nous : Un chemin à deux, *Marc Gervais*
On se calme… L'art de désamorcer le stress et l'anxiété, *Louise Lacourse*
Optimisez votre équipe : Les cinq dysfonctions d'une équipe, *Patrick Lencioni*
Osez Gagner, *Mark Victor Hansen et Jack Canfield*
Ouverture du cœur, les principes spirituels de l'amour (L'), *Marc Fisher*
Ouvrez votre esprit pour recevoir, *Catherine Ponder*
Ouvrez-vous à la prospérité, *Catherine Ponder*
Pardon, guide pour la guérison de l'âme (Le), *Marie-Lou et Claude*
Pensée positive (La), *Norman Vincent Peale*
Pensez du bien de vous-même, *Ruth Fishel*
Pensez en gagnant ! *Walter Doyle Staples*
Père riche, père pauvre, *Robert T. Kiyosaki et Sharon L. Lechter*
Père riche, père pauvre (la suite), *Robert T. Kiyosaki et Sharon L. Lechter*
Périple vers la paix intérieure, le chemin de l'amour, *Marie-Lou et Claude*
Performance maximum, *Zig Ziglar*
Personnalité plus, *Florence Littauer*
Petites actions, grands résultats, *Roger Fritz*
Philosophe amoureux (Le), *Marc Fisher*
Plaisir de réussir sa vie (Le), *Marguerite Wolfe*
Plus beaux paysages et panoramas de golf au Québec (Les), *Nadine Marcoux*
Plus grand miracle du monde (Le), *Og Mandino*
Plus grand mystère du monde (Le), *Og Mandino*
Plus grand succès du monde (Le), *Og Mandino*
Plus grand vendeur du monde (Le), *Og Mandino*
Plus grands coachs de vente du monde (Les), *Robert Nelson*
Plus vieux secret du monde (Le), *Marc Fisher*
Pour le cœur et l'esprit, *Patrick Leroux*
Pouvoir de la pensée positive (Le), *Eric Fellman*
Pouvoir de la persuasion (Le), *Napoleon Hill*
Pouvoir de vendre (Le), *José Silva et Ed Bernd fils*
Pouvoir magique des relations d'affaires (Le), *Timothy L. Templeton et Lynda Rutledge Stephenson*
Pouvoir triomphant de l'amour (Le), *Catherine Ponder*
Pouvoir ultime : vers une richesse authentique, *Pascal Roy*
Prenez du temps pour vous-même, *Ruth Fishel*
Prenez rendez-vous avec vous-même, *Ruth Fishel*

Prenez de l'altitude. Ayez la bonne attitude !, *Pat Mesiti*
Principes spirituels de la richesse (Les), *Marc Fisher*
Progresser à pas de géant, *Anthony Robbins*
Prospérité par les chemins de l'amour : De la pauvreté à l'épanouissement : mon histoire (La), *Catherine Ponder*
Provoquez le leadership, *John C. Maxwell*
Quand on veut, on peut ! *Norman Vincent Peale*
Quel Cirque ! *Jean David*
Qui va pleurer… quand vous mourrez ? *Robin S. Sharma*
Règles ont changé ! (Les) *Bill Quain*
Relations 101, *John C. Maxwell*
Relations efficaces pour un leadership efficace, *John C. Maxwell*
Relations humaines, secret de la réussite (Les), *Elmer Wheeler*
Renaissance, retrouver l'équilibre intérieur (La), *Marc Gervais*
Rendez-vous au sommet, *Zig Ziglar*
Retour du chiffonnier (Le), *Og Mandino*
Réussir à tout prix, *Elmer Wheeler*
Réussir grâce à la confiance en soi, *Beverly Nadler*
Réussir n'est pas péché, *collectif de conférenciers et formateurs*
Réussir sa vie : Les chemins vers l'équilibre, *Marc Gervais*
Rien n'est impossible, *Christopher Reeve*
Sagesse des mots (La), *Baltasar Gracián*
Sagesse du moine qui vendit sa Ferrari (La), *Robin S. Sharma*
S'aimer soi-même, *Robert H. Schuller*
Saisons du succès (Les), *Denis Waitley*
Sans peur et sans relâche, *Joe Tye*
Savoir vivre, *Lucien Auger*
Secret (Le), Rhonda Byrne
Secret d'un homme riche (Le), *Ken Roberts*
Secret est dans le plaisir (Le), *Marguerite Wolfe*
Secrets de la confiance en soi (Les), *Robert Anthony*
Secrets d'une communication réussie (Les), *Larry King et Bill Gilbert*
Semainier du Succès (Le), *éditions Un monde différent ltée*
Six façons d'améliorer votre santé grâce au noni, Neil Solomon
Sommeil idéal, guide pour bien dormir et vaincre l'insomnie (Le), *Nicole Gratton*
Stratégies de prospérité, *Jim Rohn*
Stratégies du Fonceur (Les), *Danielle DeGarie*

Stratégies pour communiquer efficacement, *Vera N. Held*
Succès d'après la méthode de Glenn Bland (Le), *Glenn Bland*
Succès n'est pas le fruit du hasard (Le), *Tommy Newberry*
Succès selon Jack (Le), *Jack Canfield et Janet Switzer*
Technologie mentale, un logiciel pour votre cerveau (La), *Barbara Berger*
Télépsychique (La), *Joseph Murphy*
Tendresse: chemin de guérison des émotions et du corps par la psycho-kinésiologie, science de la tendresse, *Hedwige Flückiger et Aline Lévesque*
Testament du Millionnaire (Le), *Marc Fisher*
Tiger Woods: La griffe d'un champion, *Earl Woods et Pete McDaniel*
Tout est dans l'attitude, *Jeff Keller*
Tout est possible, *Robert H. Schuller*
Tracez votre destinée professionnelle, *Mylène et Mélanie Grégoire*
Ultime équilibre yin yang (L'), *Mian-Ying Wang*
Un, *Richard Bach*
Une larme d'or, *Sally Manning et Danièle Sauvageau*
Une meilleure façon de vivre, *Og Mandino*
Une révolution appelée noni, *Rita Elkins*
Univers de la possibilité: un art à découvrir (L'), *Rosamund et Benjamin Stone*
Université du succès, trois tomes (L'), *Og Mandino*
Vaincre l'adversité, *John C. Maxwell*
Vie est magnifique (La), *Charlie « T. » Jones*
Vie est un rêve (La), *Marc Fisher*
Vieux Golfeur et le Vendeur (Le), *Normand Paul*
Visez la victoire, *Lanny Bassham*
Vivez passionnément, Peter L. Hirsch
Vivre Grand: développez votre confiance jusqu'à l'audace, *Thierry Schneider*
Vivre sa vie autrement, *Eva Arcadie*
Vous êtes unique, ne devenez pas une copie!, *John L. Mason*
Vous inc., découvrez le P.-D. G. en vous, *Burke Hedges*
Voyage au cœur de soi, *Marie-Lou et Claude*
Zoom sur l'intelligence émotionnelle, *Travis Bradberry et Jean Greaves*

Liste des cassettes audio:

Après la pluie, le beau temps!, *Robert H. Schuller*
Arrêtez d'avoir peur et croyez au succès!, *Jean-Guy Lebœuf*
Assurez-vous de gagner, *Denis Waitley*

Atteindre votre plein potentiel, *Norman Vincent Peale*
Attitude d'un gagnant, *Denis Waitley*
Comment attirer l'argent, *Joseph Murphy*
Comment contrôler votre temps et votre vie, *Alan Lakein*
Comment se fixer des buts et les atteindre, *Jack E. Addington*
Communiquer : Un art qui s'apprend, *Lise Langevin Hogue*
Créez l'abondance, *Deepak Chopra*
De l'échec au succès, *Frank Bettger*
Dites oui à votre potentiel, *Skip Ross*
Dix commandements pour une vie meilleure, *Og Mandino*
Fortune à votre portée (La), *Russell H. Conwell*
Homme est le reflet de ses pensées (L'), *James Allen*
Intelligence émotionnelle (L'), *Daniel Goleman*
Je vous défie ! *William H. Danforth*
Lâchez prise ! *Guy Finley*
Lois dynamiques de la prospérité (Les), (2 parties) *Catherine Ponder*
Magie de croire (La), *Claude M. Bristol*
Magie de penser succès (La), *David J. Schwartz*
Magie de voir grand (La), *David J. Schwartz*
Maigrir par autosuggestion, *Brigitte Thériault*
Mémorandum de Dieu (Le), *Og Mandino*
Menez la parade ! *John Haggai*
Pensez en gagnant ! *Walter Doyle Staples*
Performance maximum, *Zig Ziglar*
Plus grand vendeur du monde (Le), (2 parties) *Og Mandino*
Pouvoir de l'optimisme (Le), *Alan Loy McGinnis*
Psychocybernétique (La), *Maxwell Maltz*
Puissance de votre subconscient (La), (2 parties) *Joseph Murphy*
Réfléchissez et devenez riche, *Napoleon Hill*
Rendez-vous au sommet, *Zig Ziglar*
Réussir grâce à la confiance en soi, *Beverly Nadler*
Secret de la vie plus facile (Le), *Brigitte Thériault*
Secrets pour conclure la vente (Les), *Zig Ziglar*
Se guérir soi-même, *Brigitte Thériault*
Sept Lois spirituelles du succès (Les), *Deepak Chopra*
Votre plus grand pouvoir, *J. Martin Kohe*

Liste des disques compacts :

Conversations avec Dieu, *Neale Donald Walsch*

Créez l'abondance, *Deepak Chopra*

Dix commandements pour une vie meilleure, (disque compact double) *Og Mandino*

Lâchez prise ! (disque compact double) *Guy Finley*

Mémorandum de Dieu (Le), (deux versions : Roland Chenail et Pierre Chagnon), *Og Mandino*

Père riche, Père pauvre, (disque compact double) *Robert T. Kiyosaki et Sharon L. Lechter*

Quatre accords toltèques (Les) (disque compact double), *Don Miguel Ruiz*

Sept lois spirituelles du succès (Les) (disque compact double), *Deepak Chopra*

Pour entrer en contact avec l'auteur, consultez le site Internet suivant :

www.clubimmobilier.qc.ca

N'hésitez pas à lui écrire à l'adresse électronique ci-dessous :

lepinej@clubimmobilier.qc.ca

ou téléphonez-lui au : 450 679-0261